中小企業が本当に使える補助金ベスト100

自由国民社

小泉 昇　成長戦略株式会社　代表取締役

はじめに

　中小企業にとって補助金活用が難しい理由はいくつかありますが、まず、第一には、補助金を見つけることが難しいからです。膨大な数の補助金の中から、自社が使えるものを選び出すのは至難の業です。

　また、一つの補助金を理解するには公募要領（補助金の「手引き」のようなもの）を読む必要がありますが、専門用語がちりばめられていて、とても読みにくく、理解するのに時間がかかります。

　さらに公募期間は、その多くが1ヶ月から2ヶ月です。やっと見つけたと思ったら、公募期間が終わっていた、ということになりがちです。来年チャレンジしようと思って準備しても、補助金の内容は毎年コロコロ変わります。

　このように、実のところは、大変活用しにくいのが補助金なのです。

　私が代表取締役を務める成長戦略株式会社は、補助金専門のコンサルティング会社です。私は創業準備中、補助金の情報がまとまっている本やインターネットサイトを探しました。たくさんのそれらしいものを見つけましたが、それらをくまなく見てみた結果、どれも、情報が古かったり、特定の省庁に偏っていたり、肝心な情報（補助金額や補助率）がすぐにわからなかったりして、とても実用的に使えるものはない、という結論に達しました。

　「それならいつか自分で本を出そう」と思っていたのですが、おかげさまで事業が順調に成長し、なかなか執筆に時間をさけないまま10年もたってしまいました。まさに光陰矢の如しです。

さて、この目まぐるしく情報化の進む時代において10年もたったのなら、さすがにもう実用的な本やサイトが出来たのではないか、と皆さんは思われるでしょう。確かに「補助金はわかりにくいからなんとかしよう」という試みは、官民問わず見られます。しかし、相変わらず補助金のわかりにくさ、活用しにくさは変わっていないのが実情です。

　このたび、当社スタッフの協力のもと、やっとここに、「中小企業が本当に使える補助金」を集めた本を出せることになりました。私の以前の著書「社長！会社の資金調達に補助金・助成金を活用しませんか!?」の読者や、当社の顧客からの度重なるご要望にやっと応えることができ、嬉しく思っています。

　補助金の情報を収集して整理するのはとても難しい仕事です。詳しい理由はキリがないのでここでは述べませんが、情報を収集するのも、整理するのも難しいのです。補助金を深く理解した人が、相当な時間をかけて行う必要があります。人海戦術でもできませんし、AIにも難しいでしょう。本書の類書や類似サイトがないのは、そういった理由からです。

　この本では、一覧性と検索性を重視し、１つの補助金につき見開き２ページずつ、統一したレイアウトでまとめました。同じ場所には同じ情報が掲載されていますので、本書をぱらぱらとめくるだけで、探したい補助金を素早く見つけることができるように配慮しました。

　補助金の情報は、毎年目まぐるしく変わります。個々の情報がフレッシュな期間は限られています。この本も、毎年改定できればいいのですが、なかなかそうも行かないでしょう。そんなことも考え、最新の公募要領をダウンロードできるように、QRコードを付けました。

本書を見て、これはと思う補助金を見つけ、もっと詳しく知りたい場合は、QRコードを使い、それぞれの補助金の公募要領をご覧くださるとよいでしょう。公募期間が終了してしまっている場合、とりあえず前回の公募時のものでもかなり参考になります。

　全ての組織にとって、新しい挑戦は、変化する時代で生き残るために必須です。ところが、新しい挑戦にはリスクが伴うため、体力のない組織にとってはハードルが高いものです。それを支援するのが補助金です。
　読者の皆さんが、補助金を活用し、小さなリスクで大きく羽ばたく、この本がその一助になれば幸いです。

　なお、補助金の活用は、自社でできればそれでも良いのですが、難しい場合は、当社のようなコンサルティング会社を使うのも一つの方法です。

　当社は、顧客のニーズに合った補助金をピックアップすることから始まり、採択されるための申請書だけではなく、採択後の提出書類の作成等、顧客を確実な補助金の受給へと導くための切れ目ない支援を行っている会社です。採択率が高い（8割超）ことも特徴です。

　当社は決して大きな会社ではありませんが、設立から9年以上、補助金活用支援だけを専門にやって来ており、かなりの実績を積んでいます。補助金に関する情報やノウハウは、国内トップレベルと自負しています。真に会社の発展をお考えの読者からのご相談を、お待ちしております。

2020年5月

成長戦略株式会社　代表取締役

小泉　昇

目次　中小企業が本当に使える補助金ベスト100

序章　補助金を検討する前にこれだけは知っておこう

第1章　設備・システム導入に関する補助金

第2章　開発(全般)に関する補助金

第3章　開発（サービス）に関する補助金

第4章　開発（エネルギー）に関する補助金

第7章　開発 (建築) に関する補助金

第8章　開発 (農林水産) に関する補助金

第9章　開発 (その他) に関する補助金

第10章　省エネルギーに関する補助金

第13章　その他の補助金

付録　補助金ランキング・索引

●本書に掲載している情報は原稿執筆時点のものです。

●QRコードのリンク先のウェブページ（成長戦略データベース）は、本書の改訂・絶版およびウェブページのメンテナンス・閉鎖等の都合により、予告なく閲覧できなくなることがあります。また、補助金の公募要領等のデータ更新についても同様です。ご了承ください。

この本の使い方

この本ではページを開いた左右2ページごとに1つの補助金や委託事業を紹介しています。各項目の簡単な説明は以下のとおりです。

ここに全国とあるものは全国の企業が対象の補助金です。東京とあるものは東京都の補助金ですが、東京都以外でも活用できるものもあります。

この補助金について数行に前文としてまとめました。ここを読んで興味がわいたら、詳しく読んでみましょう。

1つの補助金に複数の申請タイプが設定されている場合があります。それぞれの補助金を紹介するページにある①②③…の番号は、この番号に対応しています。

連携、法認定等、審査方式、対象となる経費についてまとめました。法認定の欄には、法認定だけに限らず、受けていることが申請要件であったり、受けていると優遇措置があるものについて記載しました。　連携、法認定　P26
対象となる経費　P27

公募期間とは、申請書を提出できる期間です。前年と同じ時期でない場合もあるので注意が必要です。

事務局は変わる可能性があるため、予算提供元である国や東京都を問い合わせ先としました。ただし、変わる可能性がほぼないと思われる場合は、事務局を問い合わせ先としました。

補助金の名称です。上段は通称・略称、下段は正式名称です。

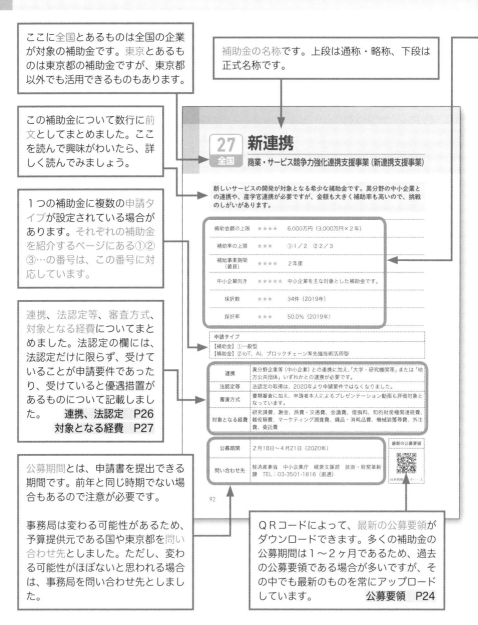

27 新連携
全国　商業・サービス競争力強化連携支援事業（新連携支援事業）

新しいサービスの開発が対象となる希少な補助金です。異分野の中小企業との連携や、産学官連携が必要ですが、金額も大きく補助率も高いので、挑戦のしがいがあります。

補助金額の上限	★★★★	6,000万円（3,000万円×2年）
補助率の上限	★★★	①1／2 ②2／3
補助事業期間（最長）	★★★★	2年度
中小企業向き	★★★★★	中小企業を主な対象とした補助金です。
採択数	★★★	34件（2019年）
採択率	★★★	50.0%（2019年）

申請タイプ
【補助金】①一般型
【補助金】②IoT、AI、ブロックチェーン等先端技術活用型

連携	異分野企業等（中小企業）との連携に加え、「大学・研究機関等」または「地方公共団体」いずれかとの連携が必要です。
法認定等	法認定の取得は、2020年より申請要件ではなくなりました。
審査方式	書類審査に加え、申請者本人によるプレゼンテーション動画も評価対象となっています。
対象となる経費	研究調費、謝金、旅費・交通費、会議費、借損料、知的財産権関連経費、雑役務費、マーケティング調査費、備品・消耗品費、機械装置費等費、外注費、委託費

公募期間	2月18日～4月21日（2020年）
問い合わせ先	経済産業省　中小企業庁　経営支援部　技術・経営革新課　TEL：03-3501-1816（直通）

最新の公募要領

92

QRコードによって、最新の公募要領がダウンロードできます。多くの補助金の公募期間は1～2ヶ月であるため、過去の公募要領である場合が多いですが、その中でも最新のものを常にアップロードしています。　公募要領　P24

補助（委託）金額の上限：この補助金でもらえる可能性のある、最大の金額です（複数の上限が設定されている場合は、一般的なもののうちの最大のもので評価）。

- ★5 → 1億円超または上限額なし
- ★4 → 3,000万円超1億円以下
- ★3 → 1,000万円超3,000万円以下
- ★2 → 500万円超1,000万円以下
- ★1 → 500万円以下

補助率の上限：対象となる経費の総額に補助率を乗じたものが補助金額となります（ただし上限額以内。複数の補助率が設定されている場合は、一般的なもののうちの最大のもので評価）。

- ★5 → 1／1または定額
- ★4 → 2／3以上1／1未満
- ★3 → 1／2以上2／3未満
- ★2 → 1／3以上1／2未満
- ★1 → 1／3未満

事業期間：補助事業期間と委託事業期間については25ページを参照してください。

- ★5 → 3年度以上または2年間以上
- ★4 → 2年度または1～2年間
- ★3 → 1年間
- ★2 → 数ヶ月間

中小企業向き：中小企業の定義については22ページを参照してください。

- ★5 → 中小企業を主な対象としている
- ★4 → 中小企業に優遇措置がある
- ★3 → 企業規模に関係なく申請できる

採択数：申請が採択された件数です（採択件数が非公表の場合は「不明」となっています）。

- ★5 → 151件～
- ★4 → 51～150件
- ★3 → 21～50件
- ★2 → 6～20件
- ★1 → 0～5件

採択率：申請件数のうち、採択された件数の割合です（申請件数および採択件数の両方または片方が非公表の場合は算出が不可能なため、「不明」となっています。複数回の公募・締切のあったものは、初回の採択率で評価）。

- ★5 → ～100%
- ★4 → ～80%
- ★3 → ～60%
- ★2 → ～40%
- ★1 → ～20%

この補助金は、別名「新連携支援事業」という通り、「新連携計画〔異分野連携新事業分野開拓計画〕」の認定を受けた事業を支援するための（でした。

しかし、2020年からは法認定は申請要件ではなくなり、法認定と補助（二重に申請する必要がなくなったため、その分、手間はかからなくな（言えるでしょう。

ただし、新連携の要件の1つである、「2社以上の異分野の中小企（加すること」という大前提は変わっていません。

産学官で連携（大学・地方自治体・公設試験研究機関等のいずれか（携）し、「中小サービス事業者の生産性向上のためのガイドライン」（て行う新しいサービスモデルの開発等が対象です。

補助率が2分の1の①一般型と、3分の2の②IoT、AI、ブロック（ン等先端技術活用型があります。②に当てはまるかどうかは、速（

この補助金について、詳しく紹介しています。
左ページの前文（補助金名の下にあるもの）
を読んでからこちらをお読みください。

採択事例
- 選別機へのAI導入とデータクラウド化による選別サービスの提供
  株式会社ガオチャオエンジニアリ
- VRゴーグルによる3D脳機能定点観測の研究開発　MiG株式
- IoT技術を用いた高難易度プレス金型の最適手配サービスの構築
  株式会社ウチダ製
- 高所点検ロボットとAI診断による、道路付属物点検業務支援サービスの事
  オングリット株式
- 高齢者ドライバーの加齢と共に衰える身体機能を維持・改善し、運転寿命
  伸する新サービスの実現　株式会社オファサポ
- AI・IoT活用の中小食品製造業向「工程計画自動作成システム等」開発・
  事業　株式会社オーカワ

参考になりそうな採択事例をピックアップ
しました。採択事例が公表されていない場
合や詳しい紹介を優先している場合は割愛
しています。

このほか、巻末には補助金の採択数、採択率、上限額のランキング（トップ10）も掲載しています。あわせてご活用ください。

◆ベスト100の5つの選定基準◆

　補助金は、有利な資金であるにもかかわらず、中小企業が十分に活用できているとは言えません。その理由の1つに、補助金を見つけにくいことが挙げられます。本書は、そんな現状に一石を投じようと企画されました。補助金の選定にあたっては、以下を心がけました。

【選定基準1】中小企業が挑戦可能な補助金だけを選ぶ。

【選定基準2】基本的に1,000万円以上の補助金を選ぶ。

　補助金獲得にはかなりの手間がかかり、少額の補助金では割に合わないと考えることから、少額の補助金はお勧めしていません。

【選定基準3】何かを購入し、申請すれば必ずもらえる補助金は選ばない。

　このような補助金は、その製品を販売するメーカーなどが消費者に通知していることが通常であるため、本書では割愛します。

【選定基準4】雇用系の補助金は選ばない。

　雇用や研修のための、いわゆる助成金は数が少なく、情報は厚生労働省のホームページに整理されているため、本書では割愛します。

【選定基準5】東京都の補助金からも選ぶ。

　都道府県や市町村にも、中小企業が使える補助金はありますが、それらを全てご紹介するのは難しいため、代表として東京都の補助金をご紹介しました。

　東京都の補助金は、本社が他県にあっても、実施場所が都内であれば使える補助金も多いです。逆に、実施場所が他県でも、都内に本社があれば使える補助金も多くあります。「うちには関係ないもの」と思い込まず、ひとまず目を通していただければと思います。

【選定基準6】今後も継続しそうな補助金を選ぶ。

　各分野の代表的な補助金を中心に選びました。これらは国の政策に沿って実施されているため、名称や中身を変えながらも継続されていく可能性が高いからです。

序章

補助金を検討する前に
これだけは
知っておこう

◆補助金は毎年変わる◆

　補助金は生き物のようです。毎年、新しく登場する補助金が数多くある一方、終了となる補助金もあります。毎年のように名称や内容が変わる補助金も多くあります。

　ほとんどの補助金は、公募が始まるまで確実な内容はわかりません。また、公募が始まってから締切りまでは、1ヶ月から2ヶ月程度のものがほとんどです。

　ところがその一方で、補助金の申請には、社内の意見調整、事業計画の策定、申請書の作成、添付資料の準備等、かなりの手間がかかり、とても1ヶ月間では間に合いません。なんとも矛盾した話です。

　結局、補助金を使うためには、おぼろげながらも前もって情報を掴み、それなりの準備をすることが重要なのです。本書は、その「おぼろげながらの情報」を提供するものです。

　補助金の確実な内容は公募が始まらないとわからないため、本書の内容はすべて、過去の情報、またはそこから推測されるに予想に基づいています。補助金の内容はもちろん、今後、その補助金が公募されるかどうかも確実とは言い切れません。

　できるだけ長く本書を使っていただけるよう、今後も公募されると思われる補助金だけを厳選したつもりですが、状況は常に変化することだけはご容赦いただきたいと思います。

◆補助金が見つかったら◆

①自力で申請するには

　本書を見て、これはと思う補助金を見つけたら、まずするべきことは、その補助金の今回、または次回の公募はあるのか、あるとすればいつなのかを調べることです。

　インターネットで補助金名を検索して出て来るのは、たいてい古い情報です。運よく現在公募中だったとしても、間に合う可能性は低いでしょう。
　その補助金の今後のことは、ネット上を少し探したくらいではわからないことが多いです。

　そんな時は、この本にある各補助金の「問い合わせ先」に聞いてみるのも１つの方法です。はっきりとしたことは教えてくれない（立場上、教えられないのでしょう）ことも多いですが、なんとなく教えてくれる場合もあります。

　なんとか、今後も公募がありそうだということがわかったら、次は、その補助金の公募要領（補助金の「手引き」のようなもの）を熟読することをお勧めします。前回の公募時のものでもかなり参考になります。前回のものをよく読んでおけば、いざ公募が始まって新しい公募要領が出ても、比較的スムーズに読めるはずです。

　さて、公募要領が理解できたら、それに沿って、実施する事業の計画を立てることです。まずはおおまかなもので構いません。それが出来たら、もう一度公募要領を確認し、何が審査項目になっているかを確認します。そして、それを十分満たすように、自分の立てた事業計画を申請書に落と

し込んで行くといいでしょう。

　本書では、その手順を紹介するのが目的ではありませんので省略しますが、そのあたりのことは、拙著「社長！会社の資金調達に補助金・助成金を活用しませんか!?」に詳述していますので、よろしければそちらをご覧ください。

②コンサルタントに依頼するには

　補助金の申請書作成から、コンサルタントに依頼するのも一つの方法です。
　最近はコンサルタントに依頼する企業が増えており、全体として申請書のレベルが上がっています。かつては自力で書いて採択されたのに、最近はいくら書いても採択されない、という話をよく聞きます。

　申請書を書くには、かなりの労力が必要です。それで採択されればまだよいですが、何度も不採択になるようでは救われません。費用は掛かりますが、コンサルタントに依頼した方が結局は安上がりになる場合も多いでしょう。また、補助金にもよりますが、「採択される申請書のほとんどはコンサルタントが書いたもの」という現状になっている補助金も多いようです。

　さてその際は、どのコンサルタントを選ぶかが、運命を左右します。コンサルタントの選択において最も重要なのが、採択される申請書を書いてくれるコンサルタントを選ぶことです。
　安いからと言ってレベルの低いコンサルタントを選んでしまい、その結果採択されなかったとしたら、失うのはお金だけではありません。『機会（チャンス）』も失うことになるのです。同じ補助金は二度と公募されないか

もしれません。公募されるとしても1年先かもしれません。その機会損失は、非常に大きいものです。

　最近多いのが、採択率100％と宣伝している（でも、実は2，3件しか手がけていない）業者や、数十件、数百件も採択されていると宣伝している（でも、その何倍も不採択となっている）業者です。そのような宣伝に騙されないようにしましょう。

　また、ものづくり補助金が出てきてからは、「ものづくり補助金しか手がけたことのない補助金コンサルタント」や、「（自称）ものづくり補助金専門コンサルタント」などが現れ始めました。
　そのようなコンサルタントは、当然ものづくり補助金についての情報しか持っていませんから、他の補助金を提案してくれることはないでしょう。豊富な実績と情報を持ち、その顧客の時々の状況に合った補助金を提案してくれるのが、理想のコンサルタントと言えます。

◆補助金のキーワードと基本的なルール◆

① 「中小企業」とは

　補助金には、中小企業のみが対象となっているものや、中小企業が優遇されているものが多くあります。本書も主な読者として中小企業の経営者を想定しています。そこで、中小企業の定義を確認しておきましょう。

　中小企業の定義としては、中小企業基本法の定義が使われることが一般的です。

■中小企業基本法による中小企業の定義

業種分類	中小企業基本法の定義
製造業 その他	資本金の額または出資の総額が3億円以下の会社ならびに 常時使用する従業員の数が300人以下の会社および個人
卸売業	資本金の額または出資の総額が1億円以下の会社ならびに 常時使用する従業員の数が100人以下の会社および個人
小売業	資本金の額または出資の総額が5,000万円以下の会社ならびに 常時使用する従業員の数が50人以下の会社および個人
サービス業	資本金の額または出資の総額が5,000万円以下の会社ならびに 常時使用する従業員の数が100人以下の会社および個人

※資本金・出資金の条件と従業員数の条件のどちらか一方を満たせば、中小企業とされます。

　ただし、基本は中小企業基本法による定義を使っていても、追加の条件が付けられている場合もあります。また、他の法律（小規模事業者支援法、小規模企業共済法、等）による中小企業の定義や、その補助金独自の定義を使っている補助金も一部あります。

　中小企業のうちでも小規模な事業者を特に優遇している補助金もよくあります。

　ただし、補助金によって「小規模企業」、「小規模事業者」、「小規模事業者等」等、使われてる呼称もその定義も様々ですので、よく確認する必要があります。

　ちなみに中小企業基本法では、「小規模企業者」を以下のように定めています。

■中小企業基本法による小規模企業者の定義

業種分類	中小企業基本法の定義
製造業その他	従業員20人以下
商業・サービス業	従業員5人以下

　さらに、補助金を申請する前に知っておいていただきたいのが、みなし大企業という言葉です。みなし大企業とは、大企業の子会社やグループ会社のことです。統一的な定義はなく、補助金ごとの定義によりますが、多くは、単一の大企業からの過半数の出資や複数の大企業からの3分の2以上の出資、役員派遣などの実質的な支配の有無を基準としています。みなし大企業は、中小企業であっても、多くの中小企業対象の補助金は使えなくなります。

　もうひとつ、中堅企業やベンチャー企業という言葉があります。こちらも統一した定義はなく、補助金ごとに定義されています。例えば、「中堅企業は資本金10億円以下、ベンチャー企業は資本金10億円以下で創業20年未満」、などです。特にベンチャー企業は、一般人の感覚よりずっと幅広く定義されていることが多いです。

②「公募要領」とは

　すでにこの本で何回も「公募要領」という言葉が出てきていますが、「公募要領」とは、補助金の「手引き」のようなものです。補助金によって、「公募要項」、「募集要項」、「募集要領」など、様々な名称になっています。そのまま、「手引き」という名称であることも稀にあります。

　「手引きのようなもの」とは言いましたが、ほとんどの補助金の公募要領は、数十ページにわたります。中には、付属資料のQ＆A集だけで数十ページにわたるものもあります。独特の言葉や言い回しが散りばめられ、しかも所管の官公庁によっても様々なパターンがあり、慣れるまでは大変読みにくいものです。

　しかし、公募要領は補助金獲得の「肝」と言えます。自力で申請する場合はもちろんですが、コンサルタントに依頼する場合でも、公募要領には一通り目を通すことをお勧めします。

③「補助事業（補助金）」と「委託事業」

　補助金と類似のものに、委託事業があります。委託事業とは、文字通り国から委託される事業です。当然、費用は全て国が持ちます。

　形式上の違いはさておき、補助金と委託事業の最も大きな違いは、補助率でしょう。補助金では100％補助ということは通常ありませんが、委託事業は100％です。つまり、自己負担がゼロなのです。

　委託事業の場合、基本的に費用負担は全て国ですので、購入した物品も当然国に帰属します。とはいえ、国も、委託事業終了後に試作品や研究のために購入した設備を返却されても困ってしまいます。ですので、多くの

場合、受託事業者が廉価で買い取ることになります。

　また、委託事業の成果としての知的財産については、日本版バイ・ドール法（産業活力再生特別措置法第30条）により、多くの場合は受託事業者に帰属させることができます。

　本書では、委託事業は補助金以上に有利な資金と考えることから、ベスト100にも選定しています。また、便宜上、補助金と委託事業をまとめて「補助金」と呼んでいる場合があります。ご了承ください。

④「補助事業期間」と「委託事業期間」

　補助金の場合は「補助事業期間」、委託費の場合は「委託事業期間」と表現されていることが多いですが、採択された場合に実施する事業の期間のうち、補助または委託の対象となる期間のことです。「事業実施期間」と表現されていることもあります。補助金ごとに「いつからいつまでの間」と定められています。

　補助事業期間（または委託事業期間）が始まる前や、それが過ぎてから発生した経費は、補助（または委託費）の対象となりません。ですから、申請書作成の時点で、その定められた期間内に、補助してもらいたい（または委託費として認めてもらいたい）経費を発生させる（発注、納品、検収、支払のすべてを行う）計画にする必要があります。

　この本で、補助事業期間（または委託事業期間）が「1年度」となっている補助金は、たいていその年度末が期間の終了日となっています。ただし、多くの補助金は春以降に採択となるので、実際は1年間には満たず、半年程度となる場合が多いです。

⑤「連携」とは

　この本では、「連携」という欄を設けています。補助金において、「連携」とは、大きな意味では、自己以外の事業者と繋がりをもって補助事業をすることを意味します。

　ただ、個々の補助金においては、「連携」と言っても、共同申請をするもの、コンソーシアムを組んで申請するもの、単に協力者として参加してもらうものなど、様々な形があります。
　スペースの都合上、詳しくは書けませんでしたが、検討している補助金に連携についての条件が記載されている場合や、連携して申請することを検討している場合は、公募要領で要件をよく確認しましょう。

⑥「法認定」とは

　補助金の公募要領を見ていると、要件の欄に「○○法に基づく△△計画の認定を受けていること」といった文言に出会うことがあります。その補助金を受けるには、その前提として、△△計画を策定し、それを所轄の官公庁に認定してもらう必要がある、という意味です。

　「○○法に基づく△△計画の認定」は、一般的に「法認定」と呼ばれている制度です。法認定を受けた計画（法認定計画と言います）の実行を支援する仕組みとして、その補助金が存在している場合、このように、法認定が申請の必須要件になるというわけです。

　また、一部の補助金では、申請要件ではなくとも、指定の法認定を受けていると、審査で加点されたり、補助率などの面で優遇されることがあります。これは、言葉は悪いですが、その補助金をエサにして、その法認定の制度を普及させようという国の作戦でしょう。

26

　法認定をはじめとする諸々の加点要件は、できれば満たしておくに越したことはないですが、その要件を満たすのに非常に手間がかかるようなら、無理に満たす必要はありません。加点要件を満たさなくても採択されるような申請書の内容にする方が本筋です。

⑦「対象となる経費」とは

　補助金によって、「対象経費」「補助対象経費」などともいいます。文字通り、補助対象となる経費のことで、補助金によって異なります。

　また、補助金によってそれぞれの科目（○○費など）の定義も異なります。例えば、同じ機械装置費でも、ある補助金では研究開発のためのものに限定されているのに、別の補助金では量産のためのものでも認められている、といった具合です。

　補助対象とならない経費は、全額自己負担しなければなりませんので、何が補助対象経費として認められているかは、重要なポイントです。

　対象となる経費に、補助率をかけたものが補助金額になります。ただし、その補助金に上限額がある場合は、上限額より多くはもらえません。

◆補助金の流れ◆

ここでは、最も一般的と思われる補助金の流れを説明します。

①公募から採択まで

補助金の公募	公募機関のホームページで発表されます。公募期間は数週間程度です。
▼	
申請書類の提出	申請書類一式を締切日（公募期間終了日）までに提出します。
▼	
書類審査	書類審査が行われます。
▼	
書類以外の審査	面接、プレゼンテーション等、書類以外の審査が行われる場合もあります。
▼	
採択の決定	採択された場合、採択通知が郵送されてきます。

補助金によっては、あらかじめ申請の予約をしなければならないものもあります（特に東京都の補助金に多いです）のでご注意ください。

公募期間中に説明会が開催されるものも多いですが、基本的には公募要領に書いてあることを説明してくれるだけなので、無理に出席しなくてもよいでしょう。審査にも影響はしません（ただし、説明会への出席が申請の必須条件になっている補助金も稀にあります）。

公募期間終了日から採択決定までの期間は、補助金やその公募回によっても異なりますが、1、2ヶ月程度から長いもので半年程度です。おおよその目安は、申請者には事前に通知または説明があります。

②「交付申請」という仕組み

　補助金の中には、「交付申請」という仕組みを持つものがあります。ものづくり補助金を始め、よく使われる補助金で多く導入されています。

　「交付申請」という仕組みがある補助金の場合、採択通知を受け取ったら、期限（通常2週間後くらい）までに「交付申請書」を提出します。これは主に、補助対象経費を確定させるための手続きです。交付申請書の内容は申請書とほぼ同一で構いません。

　交付申請書を提出すると、1～2週間程度で「交付決定通知」が郵送されてきます。補助事業は、この交付決定通知を受け取ってからスタートします。

　なお、「交付申請」の仕組みを持たない補助金は、最初の申請書が交付申請書であり、採択＝交付決定となります。採択されたらすぐに補助事業をスタートできます（ただし、補助事業期間の開始日が定められている場合はその日以降）。

③採択から受給、そしてその後

採択の決定	採択通知が郵送されてきます。

▼

（交付申請書の提出）	（補助金により、この手順は、ない場合もあります。）

▼

（交付決定）	（補助金により、この手順は、ない場合もあります。）

▼

補助事業開始	経費は経費明細表通りに使うのが原則です。

▼

定期報告、実地指導など	補助金により、定期報告書の提出や実地指導などがあります。

▼

実績報告書の提出	採択後の最も重要な提出書類です。

▼

確定検査の実施	報告書通りに事業が実施されたか、厳しく検査されます。

▼

補助金額の確定	検査結果に基づき、補助金の支給額が最終確定されます。

▼

精算払い請求	精算払い請求をした後、補助金が振り込まれます。

　補助事業開始後は、経費を経費明細表の通りに使うことに注意してください。見積書、発注書、発注請書、納品書、検収印、請求書、振込控えなどの書類をきちんと整理して保管しましょう。

　補助事業期間中、定期報告書の提出などが求められる場合があります。また、実地指導がある補助金もあります。労務費が補助対象となっている場合は、週報や日報などの提出が求められることがありますので、どんな書類が必要か、最初に確認しておきましょう。

　補助事業終了後、実績報告書を提出します。採択後の提出書類では、これが最も重要な書類です。書類の量は、補助金によって、また何を補助対象経費として申請したかによっても異なりますが、少ない場合でファイル1冊程度、多い場合だと厚さが1メートルを超えることもあります。

　実績報告書の提出を受けて、確定検査が実施されます。書類の不備はないか、報告書通りに事業が実施されたのか、厳しく検査されます。書類の日付に矛盾はないか、納品書の日付と週報・日報に矛盾はないかなど、基本的なことは予め確認しておいてください。

　確定検査が終わると、補助金の支給額が最終確定され、その額の確定通知書が送られてきます。それを受けて精算払い請求書を送ると、やっと補助金が振り込まれます。

　以上が補助金支給（受給）までの流れですが、多くの補助金には、補助事業終了から5年間、毎年報告書を提出しなければならない義務があることも知っておいてください。

第1章

設備・
システム導入
に関する補助金

ものづくり補助金

ものづくり・商業・サービス生産性向上促進事業

中小企業向きの補助金の中でも、最も有名で、最も活用のしやすい補助金の1つで、毎年1万件近くの中小企業が採択されています。設備投資の補助金ですが、革新性のある開発要素が必要です。

補助金額の上限	★★	①1,000万円　②3,000万円
補助率の上限	★★★	1／2（小規模事業者2／3）
補助事業期間（最長）	★★	10ヶ月
中小企業向き	★★★★★	中小企業を主な対象とした補助金です。
採択数	★★★★★	1次公募：7,468件　2次公募：2,063件 合計：9,531件（2019年）
採択率	★★★	1次公募：50.0%　2次公募：35.1%（2019年）

申請タイプ
【補助金】①一般型 【補助金】②グローバル展開型 【補助金】③ビジネスモデル構築型　※支援機関向けのため省略

連携	①②単独申請が原則です。
法認定等	「経営革新計画」の承認、「事業継続力強化計画」の認定を受けていると加点されます。
審査方式	書類審査のみ。
対象となる経費	機械装置・システム構築費、技術導入費、専門家経費、運搬費、クラウドサービス利用費、原材料費、外注費、知的財産権等関連経費

公募期間	通年（複数締切あり）（2020年）
問い合わせ先	経済産業省　中小企業庁　経営支援部　技術・経営革新課　TEL：03-3501-1816（直通）

最新の公募要領

成長戦略データベース

補助金額の上限が1,000万円以上で、これほど多くの企業が採択されている補助金は、他には見当たりません。毎年のように採択されている企業も多く見られます。

生産設備の導入に使える補助金ですが、単純に設備を入れるだけでは採択されません。設備を入れれば生産性が向上するのは当然なので、生産性が向上するというだけでも不十分です。導入する設備を使って、革新的ものづくり技術、または革新的サービスを「開発すること」が必要です。

ここで求められている革新性とは、自社における革新性ではなく、世の中における革新性です。すでに他社が実現していることではなく、世の中においてまだ実現されていないことに挑戦する必要があります。

（次ページの採択事例には、事業名に「世界初」「日本初」「業界初」と付いたものを集めてみました。）

ただし、他の開発系の補助金に比べれば、それほど技術的レベルの高い開発は求められていません。採択数が桁外れに多いこともあり、ある程度の革新的要素があれば、あとは申請書での「見せ方」によって、採択されるレベルまで持っていくことも不可能ではありません。

以前は補助事業期間が数ヶ月と短かったのですが、2020年からは、交付決定から10ヶ月という補助事業期間が設けられたため、納期に時間のかかる設備の導入にも活用できるようになりました。

また、従来中古設備は実質的に対象外でしたが、2020年からは補助対象となる中古設備の要件が明確になり、中古設備の導入にも使えるようになりました。

予算額、採択数が多いことから、加点要件に、政府の推進したい制度の認定取得等が盛り込まれ、年々複雑になり、手間がかかるようになって来ているのが難点です。

2020年からは、給与支給総額の増加と、事業場内最低賃金を一定の水準に保つことが、申請要件となりました。結果として申請要件を満たさなかった場合には、補助金返還の可能性もありますのでご注意ください。

採択事例　※次ページに掲載

採択事例

・世界初！石綿無害化高付加価値リサイクル製品製造プロセスの開発
株式会社環境管理研究所

・世界初！着衣トリートメント施術の試作開発による生産性向上の実現
ハワイアンフォレスト株式会社

・世界初革新的河川管理「陸上水中レーザードローン撮影」プロジェクト
有限会社アペオ技研

・世界初となるシリコンヘアゴムの自動計量袋詰装置の開発
株式会社ゼロモード

・世界初の機能を搭載した「イコールレバー」の開発　　株式会社グロータック

・世界初の振動分布計の性能試験及び信頼性試験　　　４Ｄセンサー株式会社

・世界初の新染色方式を用いた量産設備導入による大幅なCD実現
株式会社トチセン

・世界初の備蓄用缶詰の増産要請に応えるための設備投資　株式会社平山商会

・風邪の原因を明らかにする世界初の遺伝子情報解析新技術の開発
株式会社ビズジーン

・「乾燥こんにゃく米」の試作開発及び事業化（国内初）　　株式会社オハラ

・横軸加圧型プレス機の導入による国内初の長尺鋼管加工技術の開発
東北パイプターン工業株式会社

・国内初、天然毛を使用した歯に優しい小型犬用歯ブラシの生産
有限会社多葉刷子工業所

・国内初「コウモリ型フォルダー」自動加工機導入による生産性向上計画
ハタノ綜合印刷株式会社

・国内初のサーフボードシェアリングシステム開発
株式会社アイスリーデザイン

・国内初のプラスチック眼科医療用メスの開発量産化　株式会社宇井精密製作所

・国内初の清浄度ISOクラス２ポリフィルムの生産プロセス開発
マルワ製袋株式会社

・国内最速かつ国内初の無人型大判印刷インターネット通販サービス
株式会社オーレ

・全国初「愛知県産殻付きあさり水煮缶」の開発と生産工程確立
アイチフーズ株式会社

・全国初の住宅建築効率化のクラウドネットワークシステム事業　株式会社富建

・日本初！イチジクの６次産業化～フィグログの高度化事業～

　　　　　　　　　　　　　　エバーグリーンファーム株式会社

・日本初！高出力型パッシブタグによるマラソン自動計測サービスの開発

　　　　　　　　　　　　　　　　　テクノプラン株式会社

・日本初、アニメ2.5次元ミュージカル特化のブロマイド写真サービス

　　　　　　　　　　株式会社フォトデリバリージャパン

・日本初となるCTC製法による完全一貫生産体制の確立

　　　　　　　　　　　株式会社アーリーモーニング

・日本初となる提案型のインテリア絵画通販サービスの提供

　　　　　　　　　　株式会社ジャストコーポレーション

・日本初省資源高強度高耐食二相ステンレス鋼製ボルト拡販計画

　　　　　　　　　　　　　　　光精工株式会社

・ウォームギヤ業界初の最新設備の導入によるねじ切り工法の開発

　　　　　　　　　　　　　有限会社阿部鉄工所

・タオル業界初、大型昇華転写プレス機導入による新分野への進出

　　　　　　　　　　　　　　株式会社丸山タオル

・業界初！１億万画素の褪色復元機で新市場を開拓し雇用を拡大する事業

　　　　　　　　　　　　　　株式会社アイワード

・業界初！PETフィルムが貼れる小ロット対応小型光沢加工機の開発

　　　　　　　　　　　　　　株式会社ハママツ

・業界初！レーザー彫刻を活かした新たな木工商品の開発と新規受注

　　　　　　　　　　　　　有限会社藤浪木工所

・業界初！純国産ボタニカルきくらげ製造環境の構築　　有限会社静岡ラボ

・業界初！縫い目なしの治療用ペットウエア開発で市場売上拡大計画

　　　　　　　　　　　　　株式会社すとろーはうす

・業界初、ガスコック組付圧力検査装置の開発による精度と生産性の向上

　　　　　　　　　　　　　　株式会社大栄産業

・業界初、カラー展開可能な高強度モルタルの量産化プロジェクト

　　　　　　　　　　　　　　　株式会社豊運

・業界初の機能を持つ三次元測定機導入による効率化を目指す

　　　　　　　　　　　　株式会社SHIMO製作所

・業界初の四輪用エンジン部品の超短納期が可能な生産体制の構築

　　　　　　　　　　　　　有限会社大庭製作所

連携ものづくり補助金

ものづくり・商業・サービス高度連携促進補助金

ものづくり補助金の連携バージョンとも言える補助金です。複数の中小企業・小規模事業者等が連携して取り組む高度なプロジェクトのための設備投資等を支援してくれます。

補助金額の上限	★★★	①2,000万円　②1,000万円　※①②とも1社あたり
補助率の上限	★★★	1／2（小規模事業者2／3）
補助事業期間（最長）	★★★★	2年度
中小企業向き	★★★★★	中小企業を主な対象とした補助金です。
採択数	★★★★	1次公募：96件　2次公募：27件 合計：123件（2019年）
採択率	★★★★	1次公募：69.0%　2次公募：67.5%（2019年）

申請タイプ
【補助金】①企業間連携型
【補助金】②サプライチェーン効率化型

連携	企業間連携等による申請が必須です。（①は5社、②は10社まで）
法認定等	①では、「地域経済牽引事業計画」の承認が必要な場合があります。また、①では、「経営革新計画」の承認、「事業継続力強化計画」の認定を受けていると加点されます。
審査方式	書類審査に加え、必要に応じてヒアリングが行われる場合があります。
対象となる経費	機械装置費、技術導入費、運搬費、専門家経費、クラウド利用費

公募期間	1次公募：4月23日～6月24日 2次公募：8月26日～9月27日（2019年）
問い合わせ先	経済産業省　地域経済産業グループ　地域企業高度化推進課　TEL：03-3501-0645（直通）

最新の公募要領

成長戦略データベース

ものづくり補助金とは別に、2019年から新しく公募されるようになりました。ものづくり補助金で要求される「革新的ものづくり技術、または革新的サービスの開発」に加えて、連携することによる新たな付加価値の創造や生産性向上が必要となります。

申請タイプには、連携した中小企業等が行う、革新的なサービス開発・試作品開発・生産プロセスの改善に必要な設備投資を対象とする①企業間連携型と、幹事企業が主導し、中小企業・小規模事業者等を束ねて面的に生産性向上を推進する取組等を行う事業を対象とする②サプライチェーン効率化型があり、上限額、連携体数の上限等が異なっています。

一般的に共同申請の場合、上限額は、連携体の全メンバーの申請額合計の上限額を意味しますが、この補助金の上限額は、連携体のメンバー1社あたりの金額です。全メンバーの合計金額で考えると、かなり金額の大きい補助金の1つであると言えます。

①は、「複数の事業者間でデータ・情報の共有し、連携体全体として新たな付加価値の創造や生産性の向上を図るプロジェクト」、または「地域経済牽引事業計画の承認を受けて連携して新しい事業を行い、地域経済への波及効果をもたらすプロジェクト」であることが要件です。

また、①には、法認定による加点の他、小規模事業者、創業・第二創業後間もない企業（5年以内）、激甚災害被災事業者であることによる加点があります。

一方、②では、「1つの企業の主導（大企業でも可）により、複数の中小企業が共通システムを面的に導入し、データ共有・活用によってサプライチェーン全体を効率化する取組」であることが要件です。主導するのが中小企業であれば、幹事企業として連携体のメンバーとなり、自らも補助金をもらうことができます。なお、②には、加点・減点要件はありません。

採択事例

・技術データの企業間連携と製造設備の先進化による一体的生産体制の構築
株式会社フジムラ製作所／株式会社池沢製作所

・歯科医院と技工所の協力による高効率・高精度かつ印象材レスの安全・安心治療の確立
かず歯科クリニック／株式会社カクキチ

IT導入補助金

サービス等生産性向上IT導入支援事業

「生産性の向上」のための、業務プロセスの改善と効率化を助ける「ITツール」を導入する時に活用できる補助金です。多くの企業が採択されている大人気補助金です。

補助金額の上限	★	①150万円（未満）　②450万円
補助率の上限	★★★	1／2
補助事業期間（最長）	★★	1年度
中小企業向き	★★★★★	中小企業を主な対象とした補助金です。
採択数	★★★★★	7,386件（2019年）
採択率	★★	28.8%（2019年）

申請タイプ
【補助金】①A類型
【補助金】②B類型

連携	単独申請が原則です。
法認定等	地域未来投資促進法の「地域経済牽引事業計画」の承認を取得していると加点されます。
審査方式	書類審査のみ。
対象となる経費	ソフトウェア、クラウド利用費、専門家経費等

公募期間	6月下旬～12月下旬（2020年予想）
問い合わせ先	経済産業省　中小企業庁　経営支援部　技術・経営革新課　TEL：03-3501-1816（直通）

最新の公募要領

成長戦略データベース

この本の中では唯一、上限額が500万円未満の補助金です。一般に、補助金を申請し受給するまでにはかなりの手間がかかります。手間負けしない金額として500万円を１つの目安としていますが、この補助金だけは例外的にお勧めであるため、ご紹介することにしました。

採択者数が多いのが特徴の１つで、2019年は7,000件を超える事業者が採択されていますが、知名度があがるにつれ、採択率が低くなって来てしまったのが難点です。

ITツールの導入はあらゆる業種において必要性が高まっています。この補助金はほとんどすべての業種で活用でき（風俗業、宗教法人等は除く）、様々な場面で活用されています。

補助対象となるITツールは、事務局に登録されているITソフトウェアです。メインとなる「ソフトウェア」だけでなく、ソフトウェアの機能拡張などの「オプション」や、ソフトウェアの導入コンサルティング費などの「役務」も補助対象となります。スクラッチ開発（既存のパッケージの利用ではなく、独自にシステムを開発すること）、ソフトウェアの大幅なカスタマイズは対象外です。

申請に際しては、IT導入補助金事務局に登録された「IT導入支援事業者」とパートナーシップを組んで申請することが必要になりますが、他の補助金に比べ、申請方法も比較的簡易です。

申請タイプのA類型、B類型は、まとめて導入する必要のあるプロセスの数、補助上限額・下限額などが異なっています。（プロセスとは、ソフトウェアが持つ機能を類型化しまとめたグループのことで、全ての業種に共通した名称の10のプロセスが設定されています。）

名称の通り、「生産性の向上」を目的としていることから、定められた労働生産性の伸び率およびそれと同等以上の生産性の向上を目標とした事業であることが申請要件です。

2020年以降は、給与支給総額の増加や事業場内最低賃金を一定の水準に保つことなども、申請要件または加点要件として設定される可能性があります。結果として申請要件を満たさなかった場合には、補助金返還の可能性もありますのでご注意ください。

活路開拓（情報NW）

中小企業組合等課題対応支援事業（組合等情報ネットワークシステム等開発事業）

中小企業組合、一般社団法人、共同出資組織、任意グループ等の中小企業連携グループを基盤として実施する、情報ネットワークシステム等の開発を支援してくれる補助金です。

補助金額の上限	★★★	①－Aおよび②－A：2,000万円 ①－Bおよび②－B：1,200万円
補助率の上限	★★★	6／10
補助事業期間 （最長）	★★	1年度
中小企業向き	★★★★★	中小企業を主な対象とした補助金です。中小企業団体の他、3名以上の中小企業者で構成する任意グループ等でも申請できます。
採択数	★★	第1回1次締切：6件　　第1回2次締切：4件 第2回：0件　　合計：10件（2019年）
採択率	★★★★★	第1回1次締切：85.7% 第1回2次締切：57.1%　第2回：0.0%（2019年）

申請タイプ
【補助金】①－A：基本計画策定事業（大規模・高度型）
【補助金】①－B：基本計画策定事業（通常型）
【補助金】②－A：情報システム構築事業（大規模・高度型）
【補助金】②－B：情報システム構築事業（通常型）

連携	企業間連携等による申請が必須です。
法認定等	法認定は不要です。
審査方式	書類審査に加え、必要に応じてヒアリングが行われる場合があります。
対象となる経費	謝金、旅費、会議費、会場借料、資料費、印刷費、原稿料、通信運搬費、委託費

公募期間	第1回：4月1日～1次締切5月7日　2次締切7月1日　第2回：9月9日～9月30日　（2019年）
問い合わせ先	経済産業省　中小企業庁　経営支援部　経営支援課 TEL：03-3501-1763（直通）

最新の公募要領

成長戦略データベース

事業組合などの中小企業団体の他、3名以上の中小企業者が共同出資する会社組織や有限責任事業組合、3名以上の中小企業者で構成する任意グループ等も対象です（それぞれ、他にも諸要件あり）。

①基本計画策定事業と②情報システム構築事業があり、いずれかを選んで申請します。①②ともに、大規模・高度型（上限2,000万円）と通常型（上限1,200万円）がありますが、大規模・高度型は、補助金申請予定額が1,200万円を超え、なおかつ事業終了後3年以内に組合または組合員の「売上高が10％以上増加することが見込まれる」または「コストが10％以上削減されることが見込まれる」事業に限られます。なお、大規模・高度型で申請した事業が通常型として採択されることもあります。

①は、情報ネットワークシステムを構築する前提となる組合事業等の業務分析、計画立案、ＲＦＰ（提案依頼書）策定等の調査研究のためのプロジェクトが対象です。

②は、情報ネットワークシステムの構築、メンバー向け業務用アプリケーションシステムの開発、普及のためのプロジェクトが対象です。

②を実施する場合は、①の基本計画策定事業の成果に相当する事前準備活動が必要となっています。

設備・システム導入

採択事例

・インターネット活用中古自動車オークションシステム構築
　　　　　　　　　　　　　　　島根県中古自動車販売商工組合
・組合の新規事業拡張に対応したシステム構築
　　　　　　　　　　　　　　協同組合ギフト用品卸販売二十一世紀
・もやしの受注予測システムの開発　　　　　　大分もやし協業組合
・給食献立管理・食材発注・食材費請求システムの構築
　　　　　　　　　　　　　　　都城地区育児支援協同組合
・生産管理、業務分析、労務管理の統合ネットワークシステムの構築
　　　　　　　　　　　　　　　企業組合山仕事創造舎
・電子データ連係での省力化及びキャッシュレス決済での正確性向上
　　　　　　　　　　　　　　　宮城県花卉商業協同組合

プラスチックリサイクル

プラスチックリサイクル高度化設備緊急導入事業

廃プラスチック（ペットボトル・容器包装プラスチック等）の高度なリサイクル・リユースのための破砕、洗浄、脱水、異物除去、選別および原料化の設備等の導入に使える補助金です。

補助金額の上限	★★★★★	上限額なし
補助率の上限	★★★	中小企業1／2 それ以外1／3（銀行等から融資を受ける場合は1／2）
補助事業期間 （最長）	★★	1年度
中小企業向き	★★★★	企業規模に関係なく申請できますが、中小企業は補助率が優遇されています。
採択数	★★★★	117件（2019年発表分）
採択率	———	不明（2019年）

申請タイプ
【補助金】

連携	共同申請も可能です。
法認定等	法認定は不要です。
審査方式	書類審査のみ。
対象となる経費	設備費（設備および機器本体の購入並びに購入物の運搬、据付け、試運転調整に要する経費）

公募期間	4月25日〜6月21日、7月8日〜8月7日、8月26日〜9月26日、10月8日〜11月15日、11月26日〜12月20日（2019年）
問い合わせ先	環境省　環境再生・資源循環局　総務課　リサイクル推進室　TEL：03-5501-3153

最新の公募要領

成長戦略データベース

2019年に始まった補助金ですが、2019年中だけでも100件を超える企業が採択されており、廃棄物処理事業者以外にも、多くの企業がこの補助金を活用しています。

再生素材の国内資源循環を目的としているため、その設備によって製造した再生素材が最初に利用（成形やコンパウンド製造等、ペレット等の再生素材を原料として加工を行うこと）されるのが国内であることが前提です。

実用化に至っている技術の設備で、電動機がトップランナー（IE3：国際規格）以上を使用しているもの（ただし、インバータ駆動など除外されている電動機を除く）が対象です。

事業を行うために直接必要な、設備および機器本体の購入、購入物の運搬、据付け、試運転調整に要する経費が補助の対象となります（既存施設の撤去・移設・廃棄費は対象外）。

設備の設置場所（事業所等所在地）が確定していることも要件です。複数の事業所に設置する場合には、事業所ごとに申請を行う必要があります。

また、他の事業者と共同で導入する場合には、すべての事業者が補助事業者になる（共同申請する）必要があります。

審査の基準は、「適格性・合理性」と「事業効果・事業意義」です。それぞれ審査項目と配点が詳細に公表されているので、それに沿って高得点を獲れるような申請書を目指しましょう。

採択事例
・有限会社美輝（鹿児島県鹿児島市）
・株式会社三木樹脂工業（埼玉県坂戸市）
・有限会社山陰クリエート（鳥取県米子市）
・株式会社リバースプラ（福岡県田川郡福智町）
・キャピタルウッズ株式会社（群馬県伊勢崎市）
・株式会社中誠貿易（兵庫県神戸市）
・ヤツイ株式会社（和歌山県海南市）
・株式会社WK（千葉県千葉市）
・株式会社順志（奈良県宇陀市）

06 食産ハサップ・ハード

食品産業の輸出向けHACCP等対応施設整備事業

輸出先のニーズに対応したHACCP等の基準を満たすための、食品製造事業者やサプライチェーン事業者による施設の改修および新設、機器の整備を支援してくれる補助金です。

補助金額の上限	★★★★★	5億円（補正予算のもの）　3億円（当初予算のもの）
補助率の上限	★★★	1／2
補助事業期間（最長）	★★	1年度
中小企業向き	★★★	企業規模に関係なく申請できます。
採択数	★★★	20〜50件（2020年予想）
採択率	———	未定（2020年）

申請タイプ
【補助金】

連携	単独申請が原則です。
法認定等	「農林水産物・食品の輸出の促進に関する法律」による「輸出事業計画」の認定または「GFPグローバル産地計画」の承認は、審査において評価項目となっています。
審査方式	書類審査のみ。
対象となる経費	施設等整備事業関連：輸出先のニーズを満たすために必要な施設の整備（新設、増築、改築及び修繕を含む。）及び機器の整備に係る経費 効果促進事業関連：HACCP等の認証取得に係る費用、導入後の適切な管理・運用を行うための人材育成に係る経費等（全体の20％以内）

公募期間	都道府県によって異なる。
問い合わせ先	農林水産省　食料産業局　輸出促進課 TEL：03-6744-7172

最新の公募要領

成長戦略データベース

名称が「HACCP『等』」となっている通り、HACCPに限らず、輸出先国が定める輸入条件（食品衛生、動植物、畜産物の検疫等の条件）への対応や、ISO（国際標準化機構）、GFSI（世界食品安全イニシアティブ）承認規格、有機JAS、ハラール、コーシャ等の認証、ロット数の確保など、輸出先の幅広いニーズに対応するための、施設や機器の整備、体制整備に要する経費を補助してもらえます。

施設の新設については、工事費、実施設計費、工事雑費のうち、HACCP等の認定取得を行う場合の経費からHACCP等の認定取得を行わなかった場合の経費を差し引いた金額が対象となります。

単なる施設整備だけでなく、人材育成と施設整備を一体的に行う必要があり、HACCP等の認証取得費用、導入後の適切な管理・運用を行うための人材育成に係る経費等も補助対象となっています（ただし全体事業費の20％以内）。

主な評価項目には、以下が挙げられています。
・輸出実績の有無
・取得済の輸出向け認証の有無
・法認定の有無（前ページ参照）
・輸出目標額
・輸出向け認証の取得目標の有無
・地域ポイント（地域の振興作物・産品など地域の実情を踏まえた取組となっているか）等

なお、信用保証を担保するという意図で、金融機関等から全体事業費の10％以上の貸付けを受けて事業を実施することが要件となっています。
また、公募は都道府県が窓口になって行われ、公募期間も異なりますのでご注意ください。

革新的事業展開
革新的事業展開設備投資支援事業

最新機械設備の導入を支援してくれる補助金です。更なる発展に向けた競争力強化、成長産業分野への参入、IoT・ロボット活用、後継者によるイノベーションを行う事業が対象です。

補助金額の上限	★★★★	1億円　①-Bのみ3,000万円
補助率の上限	★★★★	2／3　①-Aのみ1／2
補助事業期間（最長）	★★★★	1年6ヶ月
中小企業向き	★★★★★	東京都内の中小企業を主な対象とした補助金です。
採択数	★★★★★	172件（2018年　※第3回と第4回の合計）
採択率	★★	38.7%（2018年　※第3回と第4回の合計）

申請タイプ
【補助金】①-A：競争力強化（中小企業者区分） 【補助金】①-B：競争力強化（小規模企業区分） 【補助金】②成長産業分野 【補助金】③IoT・ロボット活用 【補助金】④後継者イノベーション

連携	単独申請が原則です。
法認定等	法認定は不要です。
審査方式	申請後、一次審査（書類審査）に加え、現地調査が行われる場合があります。一次審査を通過した申請者に対して、二次審査（面接審査、価格審査）が行われます。
対象となる経費	機械設備の新たな購入、搬入・据付等（稼働のために最低限必要な訓練費用を含む）に要する経費

公募期間	第5回：申請予約　5月9日～5月24日 　　　　申請書提出　6月3日～6月11日 第6回：申請予約　10月28日～11月11日 　　　　申請書提出　11月19日～11月26日（2019年）	最新の公募要領 成長戦略データベース
問い合わせ先	公益財団法人東京都中小企業振興公社　企画管理部 設備支援課　TEL：03-3251-7884	

1億円、補助率3分の2、生産設備の導入が可能、と三拍子揃った、大変有利な補助金です。東京都または東京近県に大型の設備導入をするなら、ぜひ活用したいものです。

　東京都内で2年以上事業を行っている企業が対象です。機械設備設置場所は、東京都の他、神奈川県、埼玉県、千葉県、群馬県、栃木県、茨城県、山梨県も認められます。ただし、東京都外に設置する場合は、都内に本店があることが要件です。

　5つの申請タイプ（前ページ参照）に分かれており、どれか1つを選んで申請します。

　①は、いわゆる一般型で、②③④に当てはまらない場合はこのタイプで申請します。①の中に、A中小企業者区分とB小規模企業区分があります。Bは補助率は優遇されますが上限額が小さくなります。小規模企業者（常用従業員数が20人以下（商業・サービス業は5人以下））がAで申請することもできますが、申請後に変更することはできませんのでご注意ください。

　②は、成長産業分野の「支援テーマ」に合致した事業である必要があります。「支援テーマ」の詳細を確認し、1つのテーマを選択します。

　③は、IoT・ロボットを導入する事業が対象です。「IoT化」、「ロボット導入」のどちらか1つを選択します。「生産性向上」を目指した事業展開である必要があり、従業員1人当たりの付加価値額（＝労働生産性）を3〜5年後の間のいずれかで年率3％以上向上させる計画であることが必要です。一部でソフトウェアも補助対象として認められています。

　④は、事業承継を契機とした後継者によるイノベーションを行う事業が対象です。事業承継を行ったまたは行う予定の事業者の、既存事業とは異なる新事業活動に必要な最新機械設備の導入が対象です。

　毎年、200件近い中小企業が採択されています。ぜひチャレンジしてください。

採択事例

・生産ラインの新規増設による新規顧客獲得　　　　　　株式会社三河屋製麺
・警備ロボット導入による、現場作業員の削減　　　　富士防災警備株式会社
・高付加価値生産の追求による新市場開拓　　　　　株式会社東京オフ印刷

第2章

開発（全般）
に関する補助金

08 サポイン

全国

戦略的基盤技術高度化支援事業

「サポイン」と呼ばれ親しまれている有名な補助金です。中小企業が研究機関と連携して行う、製品化につながる研究開発、試作品開発、販路開拓を3年にわたり支援してもらえます。

補助金額の上限	★★★★	9,750万円／3年（4,500万円／年）
補助率の上限	★★★★	中小企業：2／3　大学・公設試験研究機関等：定額
補助事業期間 （最長）	★★★★★	3年度
中小企業向き	★★★★★	中小企業を主な対象とした補助金です。
採択数	★★★★	138件（2019年）
採択率	★★★	45.3%（2019年）

申請タイプ
【補助金】

連携	大学・研究機関等と連携して申請する必要があります。
法認定等	法認定の取得は、2020年より申請要件ではなくなりました。
審査方式	書類審査に加え、必要に応じてヒアリングが行われる場合があります。
対象となる経費	物品費（設備備品費、消耗品費）、人件費・謝金、旅費、その他（外注費、印刷製本費、会議費、運搬費、その他（諸経費））、委託費、間接経費（直接経費の30%以内） ※外注費と委託費の合計額は、総額（間接経費含む）の1／2以内。

公募期間	1月31日〜4月24日（2020年）
問い合わせ先	経済産業省　中小企業庁　経営支援部　技術・経営革新課　TEL：03-3501-1816（直通）

最新の公募要領

成長戦略データベース

サポインとは、「サポーティングインダストリー」すなわち「下請企業」の意味ですが、なぜこの補助金がこう呼ばれているのかというと、日本の製造業を支えているのは下請中小企業であり、その下請中小企業の基盤となる技術力を強化するための補助金だからです。

　3年間で約1億円と、中小企業向けの補助金でありながら補助金額が大きいのが一番の特長ですが、比較的自由に使える「間接経費」が30%もあることや、人件費が対象となることなど、他にも魅力がたくさんあります。

　ものづくり高度化法に基づく情報処理、精密加工、立体造形等の12技術分野の向上につながる研究開発、その試作等の取組が対象です。レベルの高い技術開発をするなら、狙ってみる価値は十分あるでしょう。

　一方、大学・公設試験研究機関等の研究機関との連携が必須なので、申請時も採択後も、他の補助金より手間がかかるのは確かです。

　研究開発を伴わない販路開拓のみの事業は対象外です。補助対象は、製品化につながる可能性の高い研究開発、試作品開発及び販路開拓への取組までですが、この事業の成果を用いて、事業化までの道筋が明確に描けているかが重要な評価ポイントとなっています。

　研究開発計画のうち本質的な部分（研究開発要素がある業務）を共同体外へ委託、外注することはできませんが、大企業やみなし大企業も共同体に入ることが可能です（ただし、補助金額の3分の2以上を中小企業が受け取る必要があります）。

　公募が始まってから研究機関との連携の準備をしていては間に合わないからでしょう、公募開始に先立って、中小企業庁から予告が出されるのが常となっています。

採択事例

・オールカーボンキャパシタからなる蓄電デバイスの開発

スペースリンク株式会社

・AIを用いた診断根拠提示型細胞診断高度支援システムの研究開発

株式会社ブレイン

・直接接合法による高密度先端実装デバイス用一括自動接合技術の開発

アユミ工業株式会社

開発（全般）

09 事業承継補助金

全国

事業承継補助金

事業承継やM＆Aなどをきっかけとした、中小企業の新しいチャレンジを支援してくれる補助金です。経営者の交代後や、事業の再編・統合等の実施後に経営革新等を行う場合に活用できます。

補助金額の上限	★★	①－A：450万円（225万円＋上乗せ額225万円）①－B、①－C：600万円（300万円＋上乗せ額300万円）②－A：900万円（450万円＋上乗せ額450万円）②－B、②－C：1,200万円（600万円＋上乗せ額600万円）　※上乗せ額は、廃業を伴う経費が発生する場合に加算されます。
補助率の上限	★★★	①－A、②－A：1／2 ①－B、①－C、②－B、②－C：2／3
補助事業期間（最長）	★★	1年度
中小企業向き	★★★★★	中小企業を主な対象とした補助金です。
採択数	★★★★★	1次公募：①521件　②108件 2次公募：①134件　②30件　合計：793件（2019年）
採択率	———	不明（2019年）

申請タイプ
【補助金】①－A：後継者承継支援型（原則枠）
【補助金】①－B：後継者承継支援型（ベンチャー型事業承継枠）
【補助金】①－C：後継者承継支援型（生産性向上枠）
【補助金】②－A：事業再編・事業統合支援型（原則枠）
【補助金】②－B：事業再編・事業統合支援型（ベンチャー型事業承継枠）
【補助金】②－C：事業再編・事業統合支援型（生産性向上枠）

連携	単独申請が原則ですが、共同申請が可能な場合、また、共同申請が必須のケースがあります。
法認定等	「先端設備等導入計画」または「経営革新計画」の認定を受けていると、生産性向上枠にて補助率が優遇されます。また、「経営力向上計画」の認定または「経営革新計画」の承認を受けていると加点されます。
審査方式	書類審査のみ。
対象となる経費	人件費、店舗等借入費、設備費、原材料費、知的財産権等関連経費、謝金、旅費、マーケティング調査費、広報費、会場借料費、外注費、委託費 ※事業所の廃止、既存事業の廃業・集約を伴う場合は、廃業（廃業登記費、在庫処分費、解体・処分費、原状回復費、移転・移設費（②のみ）も計上可。

公募期間	4月10日〜5月29日（2020年）
問い合わせ先	経済産業省　中小企業庁　事業環境部　財務課 TEL：03-3501-5803（直通）

最新の公募要領

成長戦略データベース

公募締切の前後の約４年間（公募毎に期間が指定されます）に行う（行った）事業承継が対象です。

申請タイプには、①後継者承継支援型と②事業再編・事業統合支援型があり、①②とも、それぞれＡ：原則枠、Ｂ：ベンチャー型事業承継枠、Ｃ：生産性向上枠に分かれています。

①は、経営者交代による承継の後に経営革新等を行うものが支援の対象です。親族内承継や外部人材招聘などの取り組みが当てはまります。

②は、事業再編・事業統合を契機に経営革新等を行うものが支援の対象です。合併、会社分割、事業譲渡、株式交換・株式移転、株式譲渡などの取り組みが当てはまります。

どちらの場合も、事業所や既存事業の廃止等の事業整理（事業転換）を伴う場合には上限額が倍になります（解体・処分費等の、廃業に伴う経費が発生した場合に限り、事業転換とみなされます）。

Ｂ：ベンチャー型事業承継枠とＣ：生産性向上枠は、上限額も高く補助率も優遇されるのでお勧めです。

Ｂ：ベンチャー型事業承継枠に申請するには、新商品の開発または生産、新役務の開発または提供、もしくは事業転換による新分野への進出を行う計画であることの他、従業員１名以上雇用等の要件があります。

Ｃ：生産性向上枠に申請するには、承継者が申請を行う事業と同一の内容で「先端設備等導入計画」または「経営革新計画」いずれかの認定を受けていることが要件です。

どのタイプにおいても、地域経済に貢献している中小企業であることが申請要件となっており、審査においても重要視されるため、地域の雇用の維持・創出や地域の強みである技術・特産品で地域を支えるなど、地域経済に貢献している中小企業であることをアピールする必要があります。公募要領に、地域経済に貢献している例が挙げられていますので参考にしましょう。

申請に際して、申請者による経営革新等の内容や補助事業期間を通じた事業計画の実行支援について、認定経営革新等支援機関の確認を受けている必要がありますが、取引先の金融機関や税理士に依頼すれば、比較的容易に受けられることがほとんどです。

活路開拓（一般活路・展示会）

中小企業連携グループ（中小企業組合、一般社団法人、共同出資組織、任意グループ等）が行う、新たな活路を見いだすための様々なプロジェクトを支援してくれる補助金です。

補助金額の上限	★★★	①－Ａ：2,000万円　①－Ｂ：1,200万円　②1,200万円
補助率の上限	★★★	6／10
補助事業期間（最長）	★★	1年度
中小企業向き	★★★★★	中小企業連携グループ（中小企業組合、一般社団法人、共同出資組織、任意グループ等）を対象とした補助金です。
採択数	★★★	①第1回1次締切：8件　第1回2次締切：8件　第2回：0件　②第1回1次締切：4件　第1回2次締切：3件　第2回：0件　合計：23件（2019年）
採択率	★★★★	①第1回1次締切：80.0%　第1回2次締切：100.0%　第2回：0.0%　②第1回1次締切：80.0%　第1回2次締切：100.0%　第2回：0.0%（2019年）

申請タイプ
【補助金】①－Ａ：中小企業組合等活路開拓事業（展示会等出展・開催事業を除く）（大規模・高度型）
【補助金】①－Ｂ：中小企業組合等活路開拓事業（展示会等出展・開催事業を除く）（通常型）
【補助金】②展示会等出展・開催事業

連携	企業間連携等による申請が必須です。
法認定等	法認定は不要です。
審査方式	書類審査に加え、必要に応じてヒアリングが行われる場合があります。
対象となる経費	①謝金、旅費、会議費、会場借料、資料費、印刷費、借損料、車両借上費、原稿料、通信運搬費、雑役務費、外注費、委託費、原材料費、燃料費、機械装置等購入費（補助金額の1／2まで）、光熱費　②は、①から、車両借上費、原材料費、燃料費、機械装置等購入費を除く

公募期間	第1回：4月1日〜1次締切5月7日　2次締切7月1日　第2回：9月9日〜9月30日　（2019年）
問い合わせ先	経済産業省　中小企業庁　経営支援部　経営支援課　TEL：03-3501-1763（直通）

最新の公募要領

成長戦略データベース

中小企業者が経済的・社会的環境の変化に対応するため、新たな活路の開拓等、単独では解決困難な諸問題、その他中小企業の発展に寄与するテーマ等について、これを改善するための事業が対象です。

「中小企業の経営基盤の強化」、「中小企業による地域振興」、「中小企業の社会的要請への対応」、「その他、中小企業が対応を迫られている問題」の4つの事業カテゴリーが掲げられています。

事業組合などの中小企業団体の他、3名以上の中小企業者が共同出資する会社組織や有限責任事業組合、3名以上の中小企業者で構成する任意グループ等も対象です（それぞれ、他にも諸要件あり）。

申請タイプの名称（前ページ参照）がわかりにくいですが、①は展示会等出展・開催事業以外、②は展示会等出展・開催事業という意味です。

①には大規模・高度型（上限2,000万円）と通常型（上限1,200万円）がありますが、大規模・高度型は、補助金申請予定額が1,200万円を超え、なおかつ事業終了後3年間以内に「売上高が10％以上増加することが見込まれる」または「コストが10％以上削減されることが見込まれる」事業に限られます（大規模・高度型で申請した事業が通常型として採択されることもあります）。

また、①では、「調査・研究事業」、「試作・改造事業」、「実験・実用化試験事業」、「試供・求評事業」、「ビジョン作成事業」、「成果普及講習会等開催事業」の6つの事業から、2つ以上適宜組み合わせて行うことが要件となっています。

②は、販路拡大のために、組合等や組合員等の既存の製品や技術等（商品化の目処がたっているものを含む）を持ち寄って国内外の展示会等に出展したり、展示会等を開催したりする事業が対象です。

①の事業との組合せはできず、単独で行います。申請の時点で商品化されている、または商品化の目処がたっているものの出展が対象です。

採択事例

①鹿児島の畳職人の技術を結集した機能性畳等の試作開発　鹿児島県畳工業組合
②中国市場の可能性と実態調査のための展示会出展

協同組合関西ファッション連合

開発（全般）

ものづくりエコシステム

グローバル・スタートアップ・エコシステム強化事業費補助金

ものづくり要素を有するスタートアップ企業の製品開発や量産化設計・試作の実証等を支援してくれる補助金です。複数の国内製造支援事業者との連携により「量産化の壁」を超えることを目指しています。

補助金額の上限	★★★★	①②3,500万円　③④700万円
補助率の上限	★★★★	2／3
補助事業期間（最長）	★★	1年度
中小企業向き	★★★★★	中小企業を主な対象とした補助金です。
採択数	★★	8件（2019年）
採択率	ー	不明（2019年）

申請タイプ

【補助金】①擦り合わせ要素が大きい（規格化されていない）製品全体の量産化設計・試作
【補助金】②製品特性上重要なコアパーツ（駆動系部品等）のカスタム開発・量産化設計・試作
【補助金】③AI等のソフトウェアスタートアップのビジネスを補完するデバイスの設計・試作・PoC
【補助金】④上記類型のほか、日本の強みを有する、または生かした製品等の量産化設計・試作・PoC

連携	単独申請が原則です。事業実施においては「製造支援事業者」との連携が必要です。
法認定等	「J－Startup」に認定された企業は加点されます。
審査方式	書類審査に加え、必要に応じて面談審査が行われる場合があります。
対象となる経費	設計・試作に係る外注費・委託費、設計・設計に係る部品・材料調達費、人件費、その他諸経費

公募期間	4月4日〜5月15日（2019年）
問い合わせ先	経済産業省　商務情報政策局　情報経済課 FAX：03-3501-6639

最新の公募要領

成長戦略データベース

ものづくりスタートアップ企業の多くは、量産に向けた設計・試作のステージで頓挫しています。量産化試作以降は生産技術や生産設備を持つ製造事業者との連携が必要となりますが、製造事業者の探し方が分からなかったり、交渉が上手く行かなかったりしがちであるからです。

　この補助金は、ものづくりスタートアップ企業が、それらを支援する事業者（製造支援事業者）と連携して行う、製品開発や量産化設計・試作の実証等を支援してくれます。

　複数（①②は3社以上、③④は2社以上）の製造支援事業者との連携が前提となっていますが、経済産業省のスタートアップファクトリー構築事業によって採択された約50の「スタートアップファクトリー」が公表されていますので、その中から選択することができます（スタートアップ支援の実績・能力がある製造支援事業者であれば、必ずしもスタートアップファクトリーである必要はありません）。

　補助金の申請に先立ち、製造支援事業者とコンタクトを取り事前相談を受け、そのアドバイスを踏まえて、製品開発計画を策定しなくてはなりません。申請にあたっては、策定した製品開発計画および製造支援事業者との打合せ議事録をセットで提出します。事業実施期間中および事業実施期間後も、製造支援事業者と協議をしながら事業を進めることが必要です。

　製造支援事業者との連携により製品開発を進める事業であるため、申請者が自身で設備等を購入し、製造を行う費用は原則対象外となります。

採択事例

・野菜自動収穫ロボット量産化プロジェクト　　　　　　　inaho株式会社
・次世代型全自動歯ブラシの製品化事業　　　　　　　　株式会社Genics
・排泄予測デバイス「DFree」次世代機量産化事業
　　　　　　　　　　　　　トリプル・ダブリュー・ジャパン株式会社
・泣き声診断マイクIoTサービスの試作　　　　株式会社ファーストアセント
・足のトラブルを解決して健康寿命を伸ばすカスタムインソール事業
　　　　　　　　　　　　　　　　　　　株式会社ジャパンヘルスケア
・テレイグジスタンスロボット次世代機量産化プロジェクト
　　　　　　　　　　　　　　　　　　Telexistence株式会社

12 飛びだせJapan!

全国

技術協力活用型・新興国市場開拓事業（社会課題解決型国際共同開発事業）のうち製品・サービス開発等支援事業

開発途上国現地の大学・研究機関・NGO・企業等と共同で、現地の社会課題の解決に繋がる製品・サービスの開発や実証・評価等に取り組む事業を支援してくれる補助金です。

補助金額の上限	★★★	3,000万円
補助率の上限	★★★★	2／3
補助事業期間（最長）	★★	1年度
中小企業向き	★★★★★	中小企業と中堅企業（売上高1,000億円未満または常用雇用者数1,000人未満）を対象とした補助金です。
採択数	★★	12件（2019年）
採択率	———	不明（2019年）

申請タイプ
【補助金】①一般枠
【補助金】②現地事業創出支援枠

連携	共同申請も可能です。開発途上国現地の大学・研究機関・NGO・企業等と共同して行う事業が対象です。
法認定等	法認定は不要です。
審査方式	一次審査（書類審査）を通過した申請者に対して、二次審査（プレゼンテーション審査）が行われます。
対象となる経費	人件費、旅費、会議費、謝金、備品費、借料及び損料、消耗品費、外注費、印刷製本費、補助員人件費、その他諸経費、委託費

公募期間	5月中旬〜5月31日（2019年）
問い合わせ先	経済産業省　貿易経済協力局　技術・人材協力課 E-mail：tech-co-op@meti.go.jp

最新の公募要領

成長戦略データベース

新興国市場の変化は非常に速く、多様性に富んでいるため、現地ニーズに即した製品・サービスを適時投入することが重要ですが、中堅・中小企業にとっては、海外展開を進めるにあたり、資金や人材等のリソースが障壁となっています。

　この補助金は、そのような状況下で、他社に先駆けて開発途上国における社会課題の解決に繋がる製品・サービスの開発等に取り組む中堅・中小企業を支援し、事業リスクを軽減することを目的としています。

　「新製品やサービスの開発」または「既製品や既存サービスのカスタマイズ」で、以下の要件を満たす事業が支援の対象です。

・パートナー機関（現地の大学・研究機関・NGO・企業等）と共同で実施するもの。
・現地の社会課題の解決に繋がるもの。
・早期（補助事業終了後概ね2年以内）に事業化を目指すもの。

　対象となる国・地域は、2019年は開発途上国のうちASEANと中国を除く国・地域です（変更される可能性もあるので、詳細は公募要領をご確認ください）。

　事務局担当者がリクエストに応じて現地に同行し、調査や、現地の政府機関、民間企業との交渉などを支援してくれます。また、事務局の現地拠点がある国では、現地スタッフによる支援もしてもらえる等、サポート体制が充実していることもこの補助金の特徴といえます。

　採択事例

・震災復興を目的とした無機質強化材と無焼成技術によるレンガ製造ビジネスの構築　　　　　　　　　　　　　株式会社エイケン（対象国：ネパール）
・モロッコにおける微生物水質浄化技術を用いたオリーブオイル搾油廃水処理システムの開発　　　　　　株式会社鳥取再資源化研究所（対象国：モロッコ）
・ケニアにおける日本産イチゴ品種のウイルスフリー苗組織培養体制の確立
　　　　　　　　　　　　　　　　　　　株式会社和郷（対象国：ケニア）

13 福島県地域復興実用化

全国

地域復興実用化開発等促進事業

福島イノベーション・コースト構想の重点分野（下記参照）について、福島県浜通り地域の地元企業や、地元企業と連携した企業による、実用化開発を支援してくれる補助金です。

補助金額の上限	★★★★★	7億円／1事業計画　※複数年計画の場合も同額
補助率の上限	★★★★	中小企業2／3　大企業1／2
補助事業期間（最長）	★★★★★	3年度
中小企業向き	★★★★	企業規模に関係なく申請できますが、中小企業は補助率が優遇されています。
採択数	★★★★	①25件　②6件　③6件　④9件　⑤1件　⑥14件 合計：61件（2019年）
採択率	———	不明（2019年）

申請タイプ
【補助金】 ※福島イノベーション・コースト構想の重点分野 ①ロボット分野　②エネルギー分野　③環境・リサイクル分野 ④農林水産業分野　⑤環境回復、放射線関連分野　⑥医学（医療機器等）分野

連携	地元企業等は単独申請が可能。それ以外は地元企業等との共同申請が必須です。
法認定等	法認定は不要です。
審査方式	ヒアリング審査の後、採択見込みとなった企業は交付申請書を提出します。ただし、申請者多数の場合は、ヒアリング審査の前に書面審査が行われます。
対象となる経費	直接経費（施設工事費、機械設備費、調査設計費、人件費、材料費等、外注費、委託費（直接経費の30％以内）、その他の諸経費）、間接経費（直接経費の5％以内）

公募期間	1次公募：2月8日～3月25日 2次公募：6月5日～7月19日（2019年）
問い合わせ先	福島県　商工労働部　産業創出課 TEL：024-521-7283 E-mail：business@pref.fukushima.lg.jp

最新の公募要領

成長戦略データベース

「福島県浜通り地域」とは、避難指示を受けた被災12市町村（田村市、南相馬市、川俣町、広野町、楢葉町、富岡町、川内村、大熊町、双葉町、浪江町、葛尾村、飯舘村）にいわき市、相馬市、新地町を加えた15市町村です。

　福島県浜通り地域の地元企業等（企業、研究所、大学、高専、団体等）は単独で申請できます。それ以外の企業は地元企業等と連携して申請することが要件となっていますが、事前に連携する地元企業等の候補先の紹介をしてもらうことも可能です。

　補助対象となる実用化開発は、原則として浜通り地域において実施される重点分野に係る研究開発や実証など実用化・事業化に向けた取組で、製品開発に限らず、製品等を構成する部品や要素技術なども対象となります。基礎研究や可能性調査は対象外です。

　審査においては、「浜通りの産業復興に寄与する実用化・事業化に向けた取組であること」が一番の評価ポイントとなっています。

　地域経済における重要度や地元への波及効果、産業集積効果が重視されており、研究開発を行う市町村の理解と協力が重要となるため、実施市町村へ事前に相談を行い、理解と協力を得る方がいいでしょう。

　また、審査方式も他の補助金とはかなり異なっていますのでご注意ください（前ページ参照）。

採択事例

①水上での離着水及び航行が可能な長距離運用無人航空機システムの開発
　　　　　　　　　　　株式会社スペースエンターテインメントラボラトリー
②大型風力発電プロジェクト向け高強度・高耐久、太径タワー連結ボルト、アンカーボルトの実用化開発　　　　　　　　　東北ネヂ製造株式会社
③環境配慮型革新的アルミニウム超精密成形技術の開発　　株式会社菊池製作所
④ヒノキ・スギ大径JAS製材を用いた有開口耐力フレームの開発
　　　　　　　　　　　　　　　　　　　　　　　　　株式会社ダイテック
⑤車両自動スクリーニング装置の測定時間短縮とセンシング精度並びにロボット動作の向上　　　　　　　　　　ふたばロボット株式会社
⑥毎日着用可能なウェア型IoT機器およびオンライン診療システムによる健康モニタリングサービスの開発　　　　　　　ミツフジ株式会社

研究開発型スタートアップ（シード期）

研究開発型スタートアップ支援事業／シード期の研究開発型ベンチャーに対する事業化支援

シード期の研究開発型ベンチャーによる技術シーズの事業化に対し、ベンチャーキャピタルから3分の1以上の金額の出資を受けることを条件に、残りの3分の2をNEDOが支援してくれる補助金です。

補助金額の上限	★★★★	7,000万円
補助率の上限	★★★★	2／3
補助事業期間（最長）	★★	1年度
中小企業向き	★★★★★	シード期の研究開発型ベンチャー企業（中小企業に限る）を対象とした補助金です。
採択数	★★	第1回：5件　第2回：6件　合計：11件（2019年）
採択率	★★	第1回：23.8%　第2回：31.6%（2019年）

申請タイプ
【補助金】

連携	単独申請が原則ですが、計上可能な共同研究等の相手先は一機関まで認められます。
法認定等	法認定は不要です。
審査方式	書類審査に加え、経営者面談および審査委員会におけるプレゼンテーション審査が行われます。
対象となる経費	機械装置費等（土木・建築工事費、機械装置等製作・購入費、保守・改造修理費）、労務費（研究員費、補助員費）、その他経費（消耗品費、旅費、外注費、諸経費）、委託費・共同研究費

公募期間	第1回：1月27日〜2月27日（2020年） 第2回：7月4日〜8月23日（2019年）
問い合わせ先	NEDO（国立研究開発法人新エネルギー・産業技術総合開発機構）　イノベーション推進部　スタートアップグループ TEL：044-520-5173　E-mail：vc-vb@nedo.go.jp

最新の公募要領

成長戦略データベース

シード期の研究開発型ベンチャー（Seed-stage Technology-based Startups = STS）のための補助金です。

申請に先立ち、事務局であるNEDOによって認定されたベンチャーキャピタル（VC）による出資報告書または出資意向確認書を得る必要があります。（なお、申請時において、既に2億円以上の別の出資を外部（業として出資を行う者）から受けている場合は申請できません。）

これから出資を受けようとするSTSは、直接認定VCに出資検討を申し込むか、NEDOによる認定VCへのSTS案件紹介サービス（全認定VCにエントリーシートを配信してもらえます）を利用します。出資検討期間を十分に確保するために、出来るだけ早く申し込みましょう。

経済産業省所管の鉱工業技術が対象です。例えば、ロボティクス、AI、エレクトロニクス、IoT、クリーンテクノロジー、素材、医療機器、ライフサイエンス、バイオテクノロジー技術、航空宇宙等です。但し、原子力に係るものは対象外です。

具体的技術シーズであって、研究開発要素があることが想定されることが必要です。例えば、スマートフォンのアプリ開発のためのソフトウェアのコーディングなど、技術的要素が薄いものや、既存製品（購入品）を利用しただけのものについては対象外です。

VCの審査が、将来の株式公開（上場）ができるかどうかの観点で行われる一方、補助金の審査は、技術評価、事業性評価、開発計画の妥当性の観点から行われますので気をつけましょう。

開発（全般）

採択事例
・難治性便秘治療用新規医療機器の研究開発
　　　　　　　株式会社Alivas／認定VC：株式会社日本医療機器開発機構
・食器洗浄ロボットシステム向けSim-to-Real系の構築
　　コネクテッドロボティクス株式会社／認定VC：グローバル・ブレイン株式会社
・高品質な再生医療用細胞を創出するシステムの開発
　　　　　　　株式会社ナレッジパレット／認定VC：ANRI株式会社
・深層生成モデルを用いた次世代コンピュータグラフィックスの開発
　　　　　　　株式会社EmbodyMe／認定VC：インキュベイトファンド株式会社

研究開発型スタートアップ（PCA）

研究開発型スタートアップ支援事業／Product Commercialization Alliance

具体的な技術シーズを活用した事業構想を持ち、ベンチャーキャピタルから出資を既に受けている未上場の研究開発型スタートアップを支援してくれる補助金です。

補助金額の上限	★★★★★	2億5,000万円
補助率の上限	★★★★	2／3
補助事業期間（最長）	★★	1年度
中小企業向き	★★★★★	中小企業を主な対象とした補助金です。
採択数	★★	6〜10件（2020年予想）
採択率	———	未定（2020年）

申請タイプ
【補助金】

連携	単独申請が原則です。
法認定等	「J－Startup」に認定された企業は加点されます。
審査方式	書類審査に加え、必要に応じてヒアリングが行われる場合があります。
対象となる経費	機械装置費等（土木・建築工事費、機械装置等製作・購入費、保守・改造修理費）、労務費（研究員費、補助員費）、その他経費（消耗品費、旅費、外注費、諸経費）、共同研究費（25％未満かつ3,000万円未満）

公募期間	3月19日〜4月20日（2020年）	最新の公募要領
問い合わせ先	NEDO（国立研究開発法人新エネルギー・産業技術総合開発機構）　イノベーション推進部　スタートアップグループ　PCA事務局 TEL：044-520-5173　E-mail：vc-vb@nedo.go.jp	 成長戦略データベース

申請要件である「ベンチャーキャピタルから出資」は株式に限ります。また、事業会社、コーポレートベンチャーキャピタル（CVC）、エンジェルからの出資は対象外です。

　申請時から概ね３年後までに事業化による継続的な売上が見込める事業計画と、確度の高い資金調達計画、およびそれらを達成するための体制（社内体制・外部連携体制等）を持っていながらも、事業化を達成するための資金として補助金を必要としている企業を支援することを目的とした補助金です。

　対象となる技術は経済産業省所管の鉱工業技術で、例えば、ロボティクス、AI、エレクトロニクス、IoT、クリーンテクノロジー、素材、医療機器、ライフサイエンス、バイオテクノロジー技術、航空宇宙等です（原子力は除く）。
　具体的技術シーズであって、研究開発要素があることが想定されることが前提です。実証段階にあっても、技術開発要素があると認められるものは対象になり得ます。競争力強化のためのイノベーションを創出しうるものであることが必要です。
　創薬開発は対象外ですが、創薬支援技術の開発や、医療機器、医療検査技術等、経済産業省所管の鉱工業技術に係る複合技術の開発は対象です。

　単独申請が原則ですが、事業実施においては連携体制を持つものが審査において評価されます。申請要件となる出資の他に、VCや事業会社等から出資を受ける計画がある場合や、事業会社と出資以外の連携（原料供給、販売等）をする場合は、所定の報告書・表明書等を提出する他、申請書にもできる限り具体的に記載しましょう。

　橋渡し研究機関と共同研究契約等の連携をする場合は、共同研究費の計上が認められます（橋渡し研究機関以外の研究機関との連携も可能ですが、共同研究費の計上はできません）。
　NEDO認定VCによる出資（意向も含む）のある申請は、審査において優遇されます。

NexTEP（一般タイプ）

産学共同実用化開発事業（NexTEP）（一般タイプ）

大学等の研究成果をコア技術とする、開発型企業が主体で行う実用化開発を支援してくれる文部科学省の委託事業の１つです。開発リスクを伴う規模の大きい開発が対象です。

委託金額の上限	★★★★★	50億円
補助率の上限	★★★★★	返済型（成功時：全額年賦返済／不成功時：10％返済）
委託事業期間（最長）	★★★★★	10年
中小企業向き	★★★	企業規模に関係なく申請できます。
採択数	★	不明　※採択予定数：若干数（2019年）
採択率	———	不明（2019年）

申請タイプ
【委託事業】

連携	大学等との連携は必要ですが、複数企業の連名で申請することはできません。
法認定等	法認定は不要です。
審査方式	一次審査（書類審査）を通過した申請者に対して、二次審査（面接審査）が行われます。
対象となる経費	直接経費（物品費、旅費、人件費・謝金、その他）、間接経費（直接経費の10％以内）、再委託費

公募期間	３月29日（2019年）〜３月31日（2020年）※通年公募（３回の締切を設定）※予算額に達した時点で終了	最新の公募要領 成長戦略データベース
問い合わせ先	JST（国立研究開発法人科学技術振興機構）　産学共同開発部 TEL：03-6380-8140　E-mail：jitsuyoka@jst.go.jp	

NexTEP-B、NexTEP-A、NexTEP（一般タイプ）、NexTEP（未来創造ベンチャータイプ）の4つは、どれも、民間企業を支援する文部科学省管轄の事業で、JST（科学技術振興機構）が事務局となっています。

　大学等の研究シーズの実用化開発を強力に支援し、イノベーションに挑戦する企業を応援する制度です（「大学等」とは、国公私立大学、高等専門学校、国立試験研究機関、国立研究開発法人等を指します）。

　大学等の研究成果をコア技術とする、開発型企業が主体で行う実用化開発（実証試験・実用化開発といった出口寄りの開発フェーズ）を支援してくれます。医療分野を除く幅広い分野が対象です。

　JSTが開発を企業へ委託する形になり、開発費は進捗に応じた先払いがなされます。共同申請はできませんが、開発要素を含まない工程の一部などを他企業に外注することは可能です。

【NexTEP（一般タイプ）】の特徴

・成功時は全額年賦返済、不成功時は10%返済の、返済型の委託事業です。
・AI・IoT分野が優先すべき技術分野とされています。
・開発成功認定後、成果実施の対価としての実施料を支払う必要がありますが、JST分は免除されます。

採択事例　※一般タイプ・未来創造ベンチャータイプ共通

・実環境高分解能3次元生体構造解析　　　　　　　システム日本電子株式会社
・ナノ結晶化チタン酸リチウムを用いたハイブリッドキャパシタ

　　　　　　　　　　　　　　　　　　　　　　　　　　日本ケミコン株式会社
・リソグラフィ用レジストの高性能化モジュール

　　　　　　　　　　　　　　　　　　　　　　　東京エレクトロン九州株式会社
・大型フラットパネルディスプレイ向けレーザアニール技術

　　　　　　　　　　　　　　　　　　　　　　　株式会社ブイ・テクノロジー

NexTEP（未来創造ベンチャータイプ）

産学共同実用化開発事業（NexTEP）（未来創造ベンチャータイプ）

大学等の研究成果をコア技術とする、企業の実用化開発を支援してくれる文部科学省の委託事業の1つです。リスクが高くても、未来の産業を創造するようなインパクトが大きい開発が対象です。

委託金額の上限	★★★★★	50億円
補助率の上限	★★★★★	返済型（成功時：全額年賦返済／不成功時：10%返済）
委託事業期間（最長）	★★★★★	10年
中小企業向き	★★★	企業規模に関係なく申請できます。ただし、原則、設立10年以内の企業が対象です。
採択数	★	不明　※採択予定数：若干数（2019年）
採択率	———	不明（2019年）

申請タイプ
【委託事業】

連携	大学等との連携は必要ですが、複数企業の連名で申請することはできません。
法認定等	法認定は不要です。
審査方式	一次審査（書類審査）を通過した申請者に対して、二次審査（面接審査）が行われます。
対象となる経費	直接経費（物品費、旅費、人件費・謝金、その他）、間接経費（直接経費の10%以内）、再委託費

公募期間	3月29日（2019年）〜3月31日（2020年）※通年公募（3回の締切を設定）※予算額に達した時点で終了	最新の公募要領
問い合わせ先	JST（国立研究開発法人科学技術振興機構）　産学共同開発部 TEL：03-6380-8140　E-mail：jitsuyoka@jst.go.jp	 成長戦略データベース

NexTEP-B、NexTEP-A、NexTEP（一般タイプ）、NexTEP（未来創造ベンチャータイプ）の4つは、どれも、民間企業を支援する文部科学省管轄の事業で、JST（科学技術振興機構）が事務局となっています。

　大学等の研究シーズの実用化開発を強力に支援し、イノベーションに挑戦する企業を応援する制度です（「大学等」とは、国公私立大学、高等専門学校、国立試験研究機関、国立研究開発法人等を指します）。

　大学等の研究成果をコア技術とする、開発型企業が主体で行う実用化開発（実証試験・実用化開発といった出口寄りの開発フェーズ）を支援してくれます。医療分野を除く幅広い分野が対象です。

　JSTが開発を企業へ委託する形になり、開発費は進捗に応じた先払いがなされます。共同申請はできませんが、開発要素を含まない工程の一部などを他企業に外注することは可能です。

【NexTEP（未来創造ベンチャータイプ）】の特徴

（NexTEP（一般タイプ）と共通の特徴）

・成功時は全額年賦返済、不成功時は10%返済の、返済型の委託事業です。

・AI・IoT分野が優先すべき技術分野とされています。

（NexTEP（一般タイプ）との主な相違点）

・原則として設立後10年以内の企業が対象です。

・開発リスクが高くても、未来の産業を創造するようなインパクトが大きい開発が対象です。

・成功時の返済について、猶予期間の設定が可能です。

・JSTの過去の研究開発成果の特許を含む開発テーマなら、申請企業がそのシーズを所有していれば申請可能です（大学等におけるシーズに基づく開発に限定されません）。

・開発成功認定後に支払う実施料で、JST分の免除はありません。

採択事例

NexTEP（一般タイプ）の採択事例（69ページ）参照

NexTEP-A

研究成果最適展開支援プログラム（A-STEP）企業主導フェーズ（NexTEP-A）

大学等の研究成果をコア技術とする、開発型企業が主体で行う実用化開発を支援してくれる文部科学省の委託事業の１つです。大規模かつ長期間の開発が対象です。

委託金額の上限	★★★★★	15億円
補助率の上限	★★★★★	返済型（成功時：全額年賦返済／不成功時：10％返済）
委託事業期間（最長）	★★★★★	10年
中小企業向き	★★★	企業規模に関係なく申請できます。
採択数	★	不明　※採択予定数：若干数（2019年）
採択率	———	不明（2019年）

申請タイプ
【委託事業】

連携	大学等との連携は必要ですが、複数企業の連名で申請することはできません。
法認定等	法認定は不要です。
審査方式	一次審査（書類審査）を通過した申請者に対して、二次審査（面接審査）が行われます。
対象となる経費	直接経費（物品費、旅費、人件費・謝金、その他）、間接経費（直接経費の30％以内）、再委託費

公募期間	３月29日（2019年）～３月31日（2020年）※通年公募（３回の締切を設定）※予算額に達した時点で終了	最新の公募要領 成長戦略データベース
問い合わせ先	JST（国立研究開発法人科学技術振興機構）　産学共同開発部 TEL：03-6380-8140　E-mail：jitsuyoka@jst.go.jp	

NexTEP-B、NexTEP-A、NexTEP（一般タイプ）、NexTEP（未来創造ベンチャータイプ）の4つは、どれも、民間企業を支援する文部科学省管轄の事業で、JST（科学技術振興機構）が事務局となっています。

　大学等の研究シーズの実用化開発を強力に支援し、イノベーションに挑戦する企業を応援する制度です（「大学等」とは、国公私立大学、高等専門学校、国立試験研究機関、国立研究開発法人等を指します）。

　大学等の研究成果をコア技術とする、開発型企業が主体で行う実用化開発（実証試験・実用化開発といった出口寄りの開発フェーズ）を支援してくれます。医療分野を除く幅広い分野が対象です。

　JSTが開発を企業へ委託する形になり、開発費は進捗に応じた先払いがなされます。共同申請はできませんが、開発要素を含まない工程の一部などを他企業に外注することは可能です。

【NexTEP-A】の特徴

・NexTEP-Bより大規模な実用化開発が対象です。
・成功時は全額年賦返済、不成功時は10％返済の、返済型の委託事業です。
・優先技術分野の指定はありません。
・実用化開発に先立ち、導入試験（1年以内、開発費総額の10％を上限（3,000万円以内）、返済不要）を行うことが可能です。

採択事例

・ゼオライトナノ粒子の製造方法と粒径制御技術　　　　　　　株式会社中村超硬
　　工業的に生産されるゼオライトは、高純度であり均質で高機能である。近年ではさらに機能を向上し用途を拡大するために、通常マイクロサイズのゼオライトをナノ粒子化する試みが進んでいるが、量産化にあたって結晶性や粒径等の品質の不安定さや、製造コストの高さが問題となっていた。本開発では、従来手法と比べ安価で、廃棄物や廃ガス処理の面においても有意な新技術開発を目標とした。
※一部抜粋

NexTEP-B

研究成果最適展開支援プログラム（A-STEP）企業主導フェーズ（NexTEP-B）

大学等の研究成果をコア技術とする、開発型企業が主体で行う実用化開発を支援してくれる文部科学省の委託事業の１つです。中小企業やベンチャー企業が対象です。

委託金額の上限	★★★★★	３億円
補助率の上限	★★★★	マッチングファンド型（企業１：国２） ※実質２／３
委託事業期間 （最長）	★★★★★	５年度
中小企業向き	★★★★★	資本金10億円以下の企業が申請できます。
採択数	★	不明 ※採択予定数：若干数（2019年）
採択率	———	不明（2019年）

申請タイプ
【委託事業】

連携	大学等との連携は必要ですが、複数企業の連名で申請することはできません。
法認定等	法認定は不要です。
審査方式	一次審査（書類審査）を通過した申請者に対して、二次審査（面接審査）が行われます。
対象となる経費	直接経費（物品費、旅費、人件費・謝金、その他）、間接経費（直接経費の30％以内）、再委託費

公募期間	３月11日〜６月10日（2019年）
問い合わせ先	JST（国立研究開発法人科学技術振興機構）　産学共同開発部 TEL：03-6380-8140　E-mail：jitsuyoka@jst.go.jp

最新の公募要領

成長戦略データベース

NexTEP-B、NexTEP-A、NexTEP（一般タイプ）、NexTEP（未来創造ベンチャータイプ）の4つは、どれも、民間企業を支援する文部科学省管轄の事業で、JST（科学技術振興機構）が事務局となっています。

　大学等の研究シーズの実用化開発を強力に支援し、イノベーションに挑戦する企業を応援する制度です（「大学等」とは、国公私立大学、高等専門学校、国立試験研究機関、国立研究開発法人等を指します）。

　大学等の研究成果をコア技術とする、開発型企業が主体で行う実用化開発（実証試験・実用化開発といった出口寄りの開発フェーズ）を支援してくれます。医療分野を除く幅広い分野が対象です。

　JSTが開発を企業へ委託する形になり、開発費は進捗に応じた先払いがなされます。共同申請はできませんが、開発要素を含まない工程の一部などを他企業に外注することは可能です。

【NexTEP-B】の特徴

・資本金10億円以下の企業が対象です。

・企業1：国2のマッチングファンド型の委託事業です。

・優先技術分野の指定はありません。

・他の3つと違い、通年募集ではありません。

採択事例

・**耐熱合金性能向上のための熱処理技術**　　　　　　株式会社キグチテクニクス

　　本開発は、大型の急速冷却機構を有する真空熱処理炉を開発し、ガスタービンブレードに使用されている耐熱合金であるNi基超合金部品の材料特性（クリープ強度や熱疲労強度など）を改善させることを目的としたものである。これにより火力発電用ガスタービンや航空機用ジェットエンジンなどの効率向上による二酸化炭素削減を図り、日本のエネルギー産業、航空機産業の更なる活性化に寄与することを目指す。

・**超低損失ナノ結晶薄帯製造装置**　株式会社東北マグネットインスティテュート

　　超低損失ナノ結晶材料は、鉄損が低く、飽和磁束密度が高いため、電力を運動エネルギーへ変換する際の鉄損を大幅に低減し、トランスでの電力輸送効率を改善できる。本新技術では、超低損失ナノ結晶薄帯の量産製造技術を確立、具体的には単ロール法における合金の溶解能力と冷却能力の向上により低コスト化を実現して、量産規模での市場導入を図るものである。※一部要約

新技術開発助成

新技術開発助成

「自ら技術開発する」中小企業による、国産の独創的な新技術の実用化を目的にした開発試作を対象に、5分の4という高い補助率と、事業開始前に補助金を受け取ることができる制度で支援してくれる稀有な補助金です。

補助金額の上限	★★★	2,400万円
補助率の上限	★★★★	4／5
補助事業期間（最長）	★★★	1年
中小企業向き	★★★★★	中小企業を主な対象とした補助金です。
採択数	★★	1次募集：7件　2次募集：8件 合計：15件（2019年）
採択率	———	不明（2019年）

申請タイプ
【補助金】

連携	単独申請が原則です。
法認定等	法認定は不要です。
審査方式	書類審査に加え、必要に応じて実地調査が行われる場合があります。
対象となる経費	試作費（部品・材料費　消耗品費　外部委託費）

公募期間	第1次受付期間：毎年 4月1日〜4月20日 第2次受付期間：毎年 10月1日〜10月20日
問い合わせ先	公益財団法人市村清新技術財団　新技術開発助成担当 TEL：03-3775-2021 E-mail：zaidan-mado@sgkz.or.jp

最新の公募要領

成長戦略データベース

「新技術開発助成」は、市村清新技術財団（旧：新技術開発財団）による補助金で、昭和43年以来、累計で助成件数778件、総助成額は60億2,000万円にのぼっています（2019年12月現在）。

　中小企業の「独創的な新技術の実用化」をねらいとしており、基本原理の確認が終了（研究段階終了）した後の実用化を目的にした開発試作を対象にしています。独創的な国産の技術であり、基本技術の知的財産権が特許出願等により主張されていることが要件となっています。

　第102回（平成30年度第2次）からは、地球温暖化防止を目的とした独創的な新技術開発も対象に加わりました。

　審査項目は公にされていませんが、「開発技術の要件」の中のいくつかが、評価ポイントとなっていることがわかります。特に、「実用化の見込みがある技術であること」、「自社のみの利益に止まらず、産業の発展や公共の利益に寄与すること」をアピールする必要があります。

　事業の開始前に補助金を受け取ることができるので、資金力のないベンチャー企業にも人気があります。

採択事例

・良好な切れ味が持続するチタン刃物素材の低コスト製造技術の開発
武生特殊鋼材株式会社
・アンダーピニング工法向けメカ式電動ジャッキの技術開発　株式会社ホーシン
・薄膜材料用超高感度水素検出装置の開発　　　　　　　　株式会社ユニソク
・SiCパワー半導体向け層間絶縁膜における低温緻密化プロセス技術の開発
株式会社 アビット・テクノロジーズ
・自動車シュレッダーダストからの高機能樹脂（電磁波シールド樹脂）創生
株式会社サイム
・捕獲ろ過物の解析が容易なナノポーラスアルミナメンブレン（ろ過膜）の開発
智科環球株式会社
・半導体レーザによるマルチカラーコヒーレントラマンイメージング装置の開発
スペクトラ・クエスト・ラボ株式会社

21 インキュベンチャー助成

全国

インキュベンチャー助成事業

日本の成長産業につながるような独創性に富んだ、公益性の高い新製品・新技術開発を支援してもらえます。「大義ある熱い志」をもった起業家への助成制度です。

補助金額の上限	★★★	2,000万円
補助率の上限	★★★★★	10／10
補助事業期間（最長）	★★★★	指定なし（3年以内に事業化可能であること）
中小企業向き	★★★★★	3年以内に起業予定の個人または起業後5年以内の企業を対象とする補助金です。
採択数	★	4件（2018年）
採択率	★★★	44.4%（2018年）

申請タイプ
【補助金】

連携	単独申請が原則です。
法認定等	法認定は不要です。
審査方式	一次審査（書類審査）を通過した申請者に対して、二次審査（プレゼンテーション審査）が行われます。
対象となる経費	対象プロジェクトの実施に直接必要な費用（対象とならない経費の例：申請者自身の人件費、汎用性のある機器の購入費、間接費および一般管理費）

公募期間	6月3日〜7月31日（2019年）
問い合わせ先	公益財団法人小笠原科学技術振興財団 TEL：03-5476-2174 E-mail：ofpse@jp.nifco.com

最新の公募要領

成長戦略データベース

小笠原科学技術振興財団は、ニフコ・グループ会長の小笠原敏晶氏が1986年に設立した財団です。財団にはいくつかの助成制度がありますが、中小企業が狙えるのは、2015年に創設された、この「インキュベンチャー助成事業」でしょう。

　「インキュベンチャー」とは、インキュベーション（起業や新事業の創出支援）とベンチャーを合わせた造語です。

　3年以内に起業予定の個人または起業後5年以内の若い企業が対象です。どちらの場合も、3年以内に事業化可能で、かつ、公益性の高い事業を対象としています。（ただし、コンピュータープログラム自体、バイオテクノロジー、医薬は対象外です。）

　金額が大きく、補助率100％で、「前払い型」で交付される、大変有利な補助金です。

　選考基準は公益性、独創性、実現可能性、将来性となっていますが、中でも特に公益性（社会への貢献度）が重視されます。

　財務状況は、良ければ良い方がいいですが、起業家を対象としているので、他の補助金よりは、重要な評価ポイントとはなりません。

　「大義ある熱い志」と、3年以内に事業化可能であると納得させる事業計画を、いかに矛盾のないストーリーで結びつけられるかもポイントとなるでしょう。

開発（全般）

採択事例

・インテリジェント・セルソーター　　　　　　　　　　株式会社CYBO
・染色フリーの医療用生体顕微鏡　　　ライトタッチテクノロジー株式会社
・多疾患マルチ診断キットの製造と受託検査　　　プロテオブリッジ株式会社
・難治性便秘を治療する世界初の新医療機器開発　　　　　株式会社Alivas

中小企業が行う、新製品・新技術、新たなソフトウェア、および新たなサービス創出のための試作開発を後押ししてくれる定番の補助金です。

補助金額の上限	★★★	1,500万円
補助率の上限	★★★	1／2
補助事業期間（最長）	★★★★	1年9ヶ月
中小企業向き	★★★★★	東京都内に本店・支店のある中小企業を対象とした補助金です。東京都内での創業を具体的に計画している者も申請できます。
採択数	★★★★	52件（2019年）　52件（2018年）
採択率	★★	31.1%（2018年）

申請タイプ
【補助金】①新製品・新技術の研究開発
【補助金】②新たなソフトウェアの研究開発
【補助金】③新たなサービス創出のための研究開発

連携	中小企業グループによる共同申請も可能です。
法認定等	法認定は不要です。
審査方式	一次審査（書類審査）を通過した申請者に対して、二次審査（面接審査）が行われます。
対象となる経費	原材料・副資材費、機械装置・工具器具費、委託・外注費、産業財産権出願・導入費、専門家指導費、直接人件費（ソフトウェア開発のみ）

公募期間	2月初旬〜4月5日（2019年）
問い合わせ先	公益財団法人東京都中小企業振興公社　助成課 TEL：03-3251-7894・7895

最新の公募要領

成長戦略データベース

この補助金の特徴の一つは、事業期間（補助対象期間）が、申請する年の4月から翌年12月までという点です。例年、採択発表は8月頃なので、採択前に発注したものも、遡及して対象経費に計上できることになります。補助金の合否に関わらず、早めに事業に取りかかりたい場合にも活用できて大変便利です。

　ソフトウェア開発の直接人件費が対象になることも特徴ですが、500万円までなのでご注意ください。ソフトウェア開発の区分で申請する場合、大きな外注費を計上しない限り、上限額に届くようにするには補助対象経費の積み上げに苦労することになりそうです。

　この補助金では申請書に、新規性・優秀性を有する機能・性能を「達成目標」として記述する必要があります。記述された「達成目標」は、重要な審査項目の1つになりますので高い目標を掲げがちですが、目標が達成できない場合には補助金は交付されなくなりますので、あまり高い目標を記入しないようにしましょう（達成目標を後から変更することはできません）。

　製造設備を持たない企業（ファブレス企業）も申請可能です。ただし、例えば仕様策定やテスト等の開発の主要な部分は自社で行う必要があります。

採択事例

・半自動衣類採寸・副資材検査装置の開発　　　　　　　　　株式会社ASTINA
・車椅子用　列車車両乗り込み装置の開発　　　　　　　　株式会社イノフィス
・定植工程、刈取工程のモジュールの開発　　　　　　　株式会社大橋製作所
・DCNNを用いたイラスト評価システムの開発　　　　　株式会社ジーアングル
・体力評価機能を有する健康登山アプリの開発　　株式会社テクノソリューション
・AIコンビニの開発　　　　　　　　　　　　　　　　　株式会社ブイシンク

次世代イノベーション

次世代イノベーション創出プロジェクト2020助成事業

東京都が策定する「イノベーションマップ」で示された開発支援テーマに基づき、中小企業を核とした連携体が行う、大型の技術・製品開発プロジェクトを支援してくれます。

補助金額の上限	★★★★	8,000万円
補助率の上限	★★★★	2／3
補助事業期間（最長）	★★★★★	3年
中小企業向き	★★★★★	東京都内に本店・支店のある中小企業を対象とした補助金です。東京都内での創業を具体的に計画している者も申請できます。
採択数	★★	15件（2018年）
採択率	★	13.6%（2018年）

申請タイプ
【補助金】

連携	他企業・大学・公設試験研究機関等の知見や技術ノウハウの活用が必須ですが、申請は単独でも可能です。
法認定等	法認定は不要です。
審査方式	一次審査（書類審査）を通過した申請者に対して、現地調査および二次審査（面接審査）が行われます。
対象となる経費	原材料・副資材費、機械装置・工具器具費、委託・外注費、専門家指導費、直接人件費、規格等認証・登録費、産業財産権出願・導入費、展示会等参加費、広告費

公募期間	申請予約：7月1日〜8月6日 申請書提出：8月19日〜8月26日（2019年）
問い合わせ先	公益財団法人東京都中小企業振興公社　助成課 TEL：03-3251-7894・7895

最新の公募要領

成長戦略データベース

試作開発、実証試験、販路開拓という広い開発フェーズを対象としており、幅広い経費が補助対象となっています。新規開発・改良のどちらでも申請可能です。他企業・大学・公設試験研究機関等の知見や技術ノウハウの活用が必須ですが、共同研究に限らず、委託・外注作業等でも認められます。

　「イノベーションマップ」とは、都が策定する、東京が抱える課題を解決するため、成長産業分野における開発支援テーマと技術・製品開発動向等を示したものです。毎年度新しく策定されますが、前年度とあまり大きくは変わりません。2019年度のイノベーションマップでは、以下の９つの開発支援テーマが定められています。

(1)防災・減災・災害予防　　　　　(2)インフラメンテナンス
(3)安全・安心の確保　　　　　　　(4)スポーツ振興・障害者スポーツ
(5)子育て・高齢者・障害者等の支援　(6)医療・健康
(7)環境・エネルギー　　　　　　　(8)国際的な観光・金融都市の実現
(9)交通・物流・サプライチェーン

　一般的な技術審査や経理審査と並んで、「イノベーションマップとの適合性」が重視されます。開発の目的や効用がいかにテーマに合致しているかを申請書でアピールすることが肝心です。

採択事例
・AIによる異常検知簡易検証サービスの開発
　（開発支援テーマ：インフラメンテナンス）　　　　　　株式会社Ridge-i
・体内の抗原抗体反応を再現する高密度アレイの開発
　（開発支援テーマ：医療・健康）　　　　　　プロテオブリッジ株式会社
・機械学習機能をもつ自律型枝打ちロボットの開発
　（開発支援テーマ：環境・エネルギー）　　　　　株式会社レオニックス
・使用過程車向け衝突回避装置の開発
　（開発支援テーマ：交通・物流・サプライチェーン）　　　株式会社ACR

明日チャレ

明日にチャレンジ中小企業基盤強化事業

「受注型中小企業（下請中小企業）」が行う自社の技術またはサービスの、高度化・高付加価値化に向けた技術開発等の取り組みを支援してくれる補助金です。

補助金額の上限	★★★	①1,000万円　②2,000万円
補助率の上限	★★★★	2／3
補助事業期間（最長）	★★★★	1年3ヶ月
中小企業向き	★★★★★	東京都内の受注型中小企業（下請中小企業）を対象とした補助金です。
採択数	★★★★	約120件（2020年予想）　73件（2019年） ※2019年は前身である受注型中小企業競争力強化支援事業助成金の採択数
採択率		不明（2019年） ※受注型中小企業競争力強化支援事業助成金

申請タイプ
【補助金】①小規模企業区分　×　(A)ものづくり区分 【補助金】①小規模企業区分　×　(B)受託サービス区分 【補助金】②一般区分　×　(A)ものづくり区分 【補助金】②一般区分　×　(B)受託サービス区分

連携	中小企業グループによる共同申請も可能です。
法認定等	法認定は不要です。
審査方式	一次審査（書類審査）を通過した申請者に対して、二次審査（面接審査）が行われます。
対象となる経費	原材料・副資材費、機械装置・工具器具費、委託・外注加工費、産業財産権出願・導入費、技術指導受入れ費、展示会出展・広告費等

公募期間	第1回　申請予約：3月2日〜4月3日　申請書提出：4月6日〜4月15日　第2回　7月〜8月頃（2020年）	最新の公募要領 成長戦略データベース
問い合わせ先	東京都　産業労働局　商工部　経営支援課　TEL：03-5320-4783　／　東京都中小企業団体中央会　支援事務局　TEL：03-6278-7936	

この補助金の申請要件である「受注型中小企業」とは、下記の要件を満たす事業者を指しています。

・主として発注者の仕様・規格に基づいて、製品・サービスを提供していること。
・発注者の製品・サービスの一部を構成（提供）するものであること。
・最終消費者（再販売する目的以外で財・サービスを購入する消費者）に対し、自己の名（法人名・個人名）で製品・サービスの提供をしていないこと。

　対象となる事業は、以下の条件のすべてに当てはまる必要があります。

・自社の技術・サービスの高度化・高付加価値化に向けた技術開発等であること。
・自社における技術的課題の解決があること。
・最終消費者に直接提供される製品・サービスに関する取組でないこと。
・実施場所が、自社もしくは自社の工場（東京都、神奈川県、埼玉県、千葉県、群馬県、栃木県、茨城県、山梨県のいずれかに所在）であること。

　事業期間は最大1年3ヶ月で、年度をまたぐ場合はその前後で期を設け、1期ごとに受給することができます。ただし、2期目について再度申請する必要があり、1期目の成果を踏まえて決定されます。期を超えての対象経費の振り替え等はできません。

　この補助金の申請タイプには、企業規模に関する区分として①小規模企業区分と②一般区分、業種に関する区分として(A)ものづくり区分と(B)受託サービス区分があります（それぞれどちらかを選んで申請するので、全部で4通りになります）。

　公表されている審査項目は各申請区分に共通のものですが、公募要領には(A)と(B)の「対象となる取組例」がそれぞれ列記されていますので、参考にしましょう。

採択事例　※受注型中小企業競争力強化支援事業助成金の採択事例

・精密R形状曲げ金型の開発・短納期化の実現　　　　　有限会社山本製作所
・遠隔測量技術の確立とデータ解析技術の獲得　　　　株式会社ジーエスワークス

団体向け課題解決
団体向け課題解決プロジェクト支援事業助成金

中小企業組合等や中小企業グループが、団結して取り組む業界の活性化を支援してくれる補助金です。中小企業組合等による新製品・新サービスの共同開発等にも活用できます。

補助金額の上限	★★	①②③200万円　④1,000万円（事業化まで実施する場合）
補助率の上限	★★★	1／2（小規模企業団体2／3）
補助事業期間（最長）	★★	1年度
中小企業向き	★★★★★	東京都内に本店・支店のある中小企業を対象とした補助金です。①②は中小企業団体等または中小企業グループ、③④は中小企業団体等が対象です。
採択数	★★	不明（募集数は20件）（2019年）
採択率	———	不明（2019年）

申請タイプ
【補助金】①販路開拓
【補助金】②人材育成
【補助金】③国際化対応
【補助金】④新たな製品・サービスの提供を目指した共同研究・共同開発

連携	企業間連携等による申請が必須です。
法認定等	法認定は不要です。
審査方式	書類審査のみ。
対象となる経費	④の場合　共同研究・共同開発に係る経費（研究開発事業費、生産体制整備費、展示会出展費、展示会主催費、広告宣伝費、謝金、商標登録費、借料及び損料、印刷物等製作費、翻訳費、資料購入費、調査研究費、通信運搬費、消耗品費）

公募期間	4月1日～12月27日 ※予算額に達した時点で終了（2019年）
問い合わせ先	東京都　産業労働局　商工部　経営支援課　TEL：03-5320-4784　／　東京都中小企業団体中央会　振興課　TEL：03-3542-0040

最新の公募要領

成長戦略データベース

この補助金には①販路開拓、②人材育成、③国際化対応、④新たな製品・サービスの提供を目指した共同研究・共同開発の４つの申請タイプがあります。③④は中小企業団体等のみが申請でき、中小企業グループは対象外です。

　同時に複数のタイプを申請することができますが、申請は各タイプ１回限りとなっています。

　また、「団体向け課題解決プロジェクト支援事業」の「コーディネータ等派遣事業」の支援を受けており、それぞれ、販路開拓、人材育成、国際化対応、共同研究・共同開発が必要と認められていることが申請要件となっています。

　「コーディネータ等派遣事業」は、この補助金と同時に公募されていますので、まずそちらに申請し、支援を受けましょう。どちらの公募期間も毎年４月から12月までと長いので、「コーディネータ等派遣事業」の支援を受けてから補助金に申請するのでも間に合います。（だたし、予算に達すると受付終了となるので、ある程度は急いだ方がいいでしょう。）

　中小企業団体等が申請する場合は、上限額が200万円の①②③は、上限額が1,000万円の④のついでに申請する形が理想でしょう。

　なお、①販路開拓のうちの「展示会の主催」だけは、他とはやや性質が違っており、複数回の活用が可能です。また、「コーディネータ等派遣事業」の支援を受けていることは必須要件ではありません。

　中小企業グループがこの補助金を活用するなら、この「展示会の主催」で毎年200万円を獲得する形なら、手間負けもせずにメリットが享受できそうです。

イノベーションTOKYO
未来を拓くイノベーションTOKYOプロジェクト

ベンチャー企業等の中小企業が大企業等とのオープンイノベーションにより事業化する、革新的なサービス・製品等の開発、改良、実証、販路開拓を支援してくれます。

補助金額の上限	★★★★★	5億円(初年度5,000万円、次年度以降1億5,000万円／年)
補助率の上限	★★★	1／2
補助事業期間（最長）	★★★★★	3年3ヶ月
中小企業向き	★★★★★	東京都内のベンチャー企業等の中小企業を対象とした補助金です。
採択数	★	2件（2019年）　2件（2018年）
採択率	★	16.7%（2019年）　16.7%（2018年）

申請タイプ
【補助金】

連携	事業実施においては、事業会社（大手メーカーや商社等）から出資および、販路・人材・ブランド等の提供を受けることが必須です。
法認定等	法認定は不要です。
審査方式	一次審査（書類審査）を通過した申請者に対して、二次審査（面接審査）が行われます。
対象となる経費	原材料・副資材費、外注・委託費、直接人件費、不動産賃借料、設備導入費、産業財産権出願費、展示会等参加費、イベント開催費、広報ツール製作費、広告掲載費

公募期間	9月26日〜10月4日（2019年）	最新の公募要領
問い合わせ先	東京都　産業労働局　商工部　創業支援課 TEL：03-5320-4745	 成長戦略データベース

東京都では、政策の柱の1つとして「イノベーション創出」を位置付けており、この補助金の上限額は、ベンチャー企業等の中小企業を対象とした補助金としては、国の補助金と比較しても遜色ありません。

　革新的なサービス・製品等であれば、分野は問われません。

　資金・人材・販路などの潤沢な経営資源を有する事業会社（金融機関以外。大手メーカーや商社等）にプロジェクトに参加してもらい、総事業費の4分の1以上の出資等を受けること、および、販路・人材・ブランド等の提供を受けることが申請要件です。

　毎年2件程度しか採択されない割には競争率がそこまで高くなっていないのは、この要件があるからでしょう。

　補助金額の下限額が1億円で補助率は2分の1となっていますので、総事業費が2億円以上、かつ、5,000万円以上の出資が見込める事業が対象であることになります。

採択事例

・「空飛ぶクルマ」の開発と認証取得に向けた安全性向上

　　（採択者）　　　　　　　株式会社 SkyDrive

　　（プロジェクトメンバー）日本電気株式会社

　　　　　　　　　　　　　　一般社団法人 CARTIVATOR Resource Management

・次世代蓄電池を活用した分散型パワーサービスの事業化

　　（採択者）　　　　　　　エクセルギー・パワー・システムズ株式会社

　　（プロジェクトメンバー）東京ガス株式会社

・生育調査システムの開発

　　（採択者）　　　　　　　株式会社ナイルワークス

　　（事業会社等）　　　　　住友化学株式会社

　　　　　　　　　　　　　　住友商事株式会社

　　　　　　　　　　　　　　クミアイ化学工業株式会社

　　（プロジェクト参加者）　全国農業協同組合連合会

　　　　　　　　　　　　　　ダイハツ工業株式会社

　　　　　　　　　　　　　　マクセル株式会社

・宇宙ごみ除去技術の開発及び実証衛星の開発・運用

　　（採択者）　　　　　　　株式会社アストロスケール

　　（事業会社等）　　　　　Astroscale Singapore Pte. Ltd.（兼プロジェクト参加者）

第3章

開発
（サービス）
に関する補助金

27 新連携

全国

商業・サービス競争力強化連携支援事業 (新連携支援事業)

新しいサービスの開発が対象となる希少な補助金です。異分野の中小企業との連携や、産学官連携が必要ですが、金額も大きく補助率も高いので、挑戦のしがいがあります。

補助金額の上限	★★★★	6,000万円（3,000万円×2年）
補助率の上限	★★★	①1／2　②2／3
補助事業期間 （最長）	★★★★	2年度
中小企業向き	★★★★★	中小企業を主な対象とした補助金です。
採択数	★★★	34件（2019年）
採択率	★★★	50.0%（2019年）

申請タイプ
【補助金】①一般型 【補助金】②IoT、AI、ブロックチェーン等先端技術活用型

連携	異分野企業等（中小企業）との連携に加え、「大学・研究機関等」または「地方公共団体」いずれかとの連携が必要です。
法認定等	法認定の取得は、2020年より申請要件ではなくなりました。
審査方式	書類審査に加え、申請者本人によるプレゼンテーション動画も評価対象となっています。
対象となる経費	研究員費、謝金、旅費・交通費、会議費、借損料、知的財産権関連経費、雑役務費、マーケティング調査費、備品・消耗品費、機械装置等費、外注費、委託費

公募期間	2月18日〜4月21日（2020年）
問い合わせ先	経済産業省　中小企業庁　経営支援部　技術・経営革新課　TEL：03-3501-1816（直通）

最新の公募要領

成長戦略データベース

この補助金は、別名「新連携支援事業」という通り、「新連携計画（異分野連携新事業分野開拓計画）」の認定を受けた事業を支援するための補助金でした。

　しかし、2020年からは法認定は申請要件ではなくなり、法認定と補助金に二重に申請する必要がなくなったため、その分、手間はかからなくなったと言えるでしょう。

　ただし、新連携の要件の１つである、「２社以上の異分野の中小企業が参加すること」という大前提は変わっていません。

　産学官で連携（大学・地方自治体・公設試験研究機関等のいずれかとの連携）し、「中小サービス事業者の生産性向上のためのガイドライン」に沿って行う新しいサービスモデルの開発等が対象です。

　補助率が２分の１の①一般型と、３分の２の②IoT、AI、ブロックチェーン等先端技術活用型があります。②に当てはまるかどうかは、連携体にIoT、AI関連企業が入っているかではなく、事業計画の中身で判断されますのでご注意ください。

　平成31年度からは、申請者本人によるプレゼンテーション動画の提出が求められるようになり、その代わり申請書類は少なくなりました。動画でいかに事業を魅力的に伝えるかも、工夫する必要があるでしょう。

開発（サービス）

採択事例

・選別機へのAI導入とデータクラウド化による選別サービスの提供
　　　　　　　　　　　　　　　　　　　　株式会社ガオチャオエンジニアリング
・VRゴーグルによる３D脳機能定点観測の研究開発　　　　　　MIG株式会社
・IoT技術を用いた高難易度プレス金型の最適手配サービスの構築
　　　　　　　　　　　　　　　　　　　　　　　　　株式会社ウチダ製作所
・高所点検ロボットとAI診断による、道路付属物点検業務支援サービスの事業化
　　　　　　　　　　　　　　　　　　　　　　　　　オングリット株式会社
・高齢者ドライバーの加齢と共に衰える身体機能を維持・改善し、運転寿命を延伸する新サービスの実現　　　　　　　　　　　　株式会社オファサポート
・AI・IoT活用の中小食品製造業向「工程計画自動作成システム等」開発・販売事業　　　　　　　　　　　　　　　　　　株式会社オーカワパン

地域・企業共生型ビジネス
地域・企業共生型ビジネス導入・創業促進事業補助金

複数の地域に共通する地域・社会課題について、地域内外の地方公共団体や
NPO法人等と連携しつつ、技術やビジネスの視点を取り入れながら、一体
的な解決を目指す実証プロジェクトを支援してくれる補助金です。

補助金額の上限	★★★★	3,500万円
補助率の上限	★★★★	2／3（みなし大企業1／2）
補助事業期間（最長）	★★	1年度
中小企業向き	★★★★★	中小企業を主な対象とした補助金です。
採択数	★★	10〜20件（2020年予想）
採択率	———	未定（2020年）

申請タイプ
【補助金】

連携	共同申請も可能です。
法認定等	法認定は不要です。
審査方式	書類審査に加え、必要に応じてヒアリングが行われる場合があります。
対象となる経費	人件費、旅費、機械装置費、借料及び賃料（リース費）、システム開発費、外注加工費、技術導入費、専門家経費、運搬費、クラウド利用費

公募期間	4月22日〜5月20日（2020年）
問い合わせ先	経済産業省　地域経済産業グループ　地域産業基盤整備課　TEL：03-3501-1677（直通）

最新の公募要領

成長戦略データベース

地域において過疎化が進む一方で、地域・社会課題は多様化・複雑化しており、地方公共団体やNPO法人等の地域内の関係主体だけで課題に対応していくことが困難になりつつあります。

　このような状況を背景に、地域・社会課題解決と中小企業の収益性との両立を目指す取組である「地域と企業の持続的共生」を促進し、地域経済の活性化を実現することを目的として創設された補助金で、2020年に公募が始まりました。

　中小企業等が、複数の地域（5市町村以上の隣接地域または点在地域）に共通する地域・社会課題について、隣接地域を巻き込んだり、点在する地域を束ねたりするなどして、技術やビジネスの側面から実証する取組が対象です。

　地域・社会課題の例として、「生活サービスの提供」、「地域の活性化」、「地域資源の活用等」が、また、想定されるプロジェクトとしては、以下のようなもの挙げられています。

・人手不足に悩む複数地域において、企業や自治体業務にRPA技術等を導入することで、人手に依存してきた調査・報告、申請業務等の間接業務を自動化し、地域の生産性を向上させる。

・空き店舗が増加している地域（商店街等）で魅力あるコンテンツにより活性化を図る取組みを複数地域で展開する。

・公共交通網の維持が困難となっている複数地域において、福祉法人等が所有する送迎車を活用する配車システムやアプリを構築し、地域住民が気軽に外出できる環境を創出することで、地域住民の体力維持や介護負担の抑制に貢献する。

・複数地域の公共施設の一括受託管理や通信基盤を活用した複数地域へのサービス提供等。

　なお、中小企業を対象とした補助金では、みなし大企業は対象外とされることがほとんどですが、この補助金はみなし大企業も活用できます。ただし、中小企業と共同申請する場合に限られ、補助率も2分の1となります。また、みなし大企業分の補助対象額および補助額は、全体の2分の1未満としなければなりません。

29 SDGsビジネス

中小企業・SDGsビジネス支援事業

JICAによる民間連携事業で、海外展開をめざす日本企業を、基礎調査、案件化調査、普及・実証・ビジネス化のそれぞれのフェーズで支援してくれます。

委託金額の上限	★★★★	①850万円　②3,000万円　④1億円
補助率の上限	★★★★★	①②④委託（1／1）
委託事業期間（最長）	★★★★★	①②数ヶ月〜1年程度　④1〜3年程度
中小企業向き	★★★★★	①②④は中小企業を主な対象とした委託事業です。②④はみなし大企業ではない中堅企業（資本金10億円以下）も申請できます。
採択数	★★★★★	第1回：100件　第2回：73件　合計：173件（2019年）
採択率	———	不明（2019年）

申請タイプ
【委託事業】①基礎調査
【委託事業】②案件化調査（中小企業支援型）
【委託事業】③案件化調査（SDGsビジネス支援型）
【委託事業】④普及・実証・ビジネス化事業（中小企業支援型）
【委託事業】⑤普及・実証・ビジネス化事業（SDGsビジネス支援型）
※③⑤は中小企業は対象でないため省略

連携	共同申請も可能です。
法認定等	法認定は不要です。
審査方式	書類審査に加え、必要に応じて事前登録後に信用調査、書類提出後にヒアリングが行われる場合があります。
対象となる経費	①②④共通：旅費、外部人材活用費、現地活動費、管理費　②機材輸送費、本邦受入活動費　④機材購入・輸送費、本邦受入活動費

公募期間	第1回：4月16日〜5月16日 第2回：10月1日〜11月1日（2019年）	最新の公募要領
問い合わせ先	JICA（独立行政法人国際協力機構）　中小企業・SDGsビジネス支援事業窓口　TEL：03-5226-3491 E-mail：sdg_sme@jica.go.jp	 成長戦略データベース

途上国の開発ニーズと民間企業の製品・技術のマッチングを行い、開発途上国の課題の解決と日本企業の海外事業展開の両立を図ることを目指しており、途上国の社会・経済開発に効果のある分野（環境・エネルギー、廃棄物処理、水の浄化・水処理、職業訓練・産業育成、農業、保健医療等）の事業が対象です。対象国は原則としてJICA在外事務所等の所在国です。

　5つの申請タイプがあります（前ページ参照）が、中小企業が利用できるのは、①②④の3タイプです。
①基礎調査：基礎情報の収集・分析するもの
②案件化調査（中小企業支援型）：技術・製品・ノウハウ等の活用可能性を検討し、ビジネスモデルの素案を策定するもの
④普及・実証・ビジネス化事業（中小企業支援型）：技術・製品やビジネスモデルの検証・普及活動を通じ、事業計画案を策定するもの

　それぞれのタイプで、要件、上限額、対象経費、審査基準等が違いますので、よく確認してください。
　また、採択発表までに3ヶ月、さらにその後、申請書の内容を元にJICA事業として組み立て直した上で委託契約を結ぶのに4ヶ月かかるため、事業を開始できるのは最短でも公募締切から7ヶ月後が目安です。通常の補助金と比較してもかなり遅いのでご注意ください。
　JICAのホームページでは、対象国、分野などを指定して案件事例を詳細に検索することができます。ぜひ参考にしてください。

https://www2.jica.go.jp/ja/priv_sme_partner/

採択事例
④高付加価値いちごの無病苗開発を通じた産地再興普及・実証・ビジネス化事業（農業／インドネシア）　　　　　　　　　有限会社木之内農園
④雨水依存地域における干ばつ時の水資源確保のための普及・実証・ビジネス化事業（防災・災害対策／カンボジア）　　　　　シバタ工業株式会社
④自動車産業における技術者及び技能者育成プログラム普及・実証・ビジネス化事業（職業訓練・産業育成／ベトナム）　　　　株式会社モディー

30 未来の教室

「未来の教室」実証事業

子ども達一人一人が未来を創る当事者に育つための、学習環境を構築するための新たな教育プログラムの開発等に向けた実証事業を、委託事業として実施できます。

委託金額の上限	★★★★★	上限額なし
補助率の上限	★★★★★	委託（1／1）
委託事業期間（最長）	★★	1年度
中小企業向き	★★★	企業規模に関係なく申請できます。
採択数	★★	10件（2019年）
採択率	———	不明（2019年）

申請タイプ
【委託事業】①学校教育での「個別最適化・到達度主義の学び」を可能にする教育サービスの実証
【委託事業】②将来的に公認可能な「学校外教育サービス（オルタナティブ教育）」の実証
【委託事業】③新しい「部活動・放課後サービス」の実証
【委託事業】④新しい「教職員向け研修サービス」の実証

連携	共同申請も可能です。
法認定等	法認定は不要です。
審査方式	書類審査のみ。
対象となる経費	人件費、事業費（旅費・交通費、会議費、謝金、備品費・借料および損料、外注費、補助職員人件費、その他諸経費）、一般管理費、再委託費

公募期間	7月16日～7月30日（2019年）
問い合わせ先	経済産業省　商務・サービスグループ　サービス政策課 サービス政策課長　教育産業室 TEL：03-3580-3922（直通）

最新の公募要領

成長戦略データベース

「「未来の教室」実証事業」においては、2018年には「モデル校実証」と「STEAM Library構築に向けた実証」が公募され、2019年にはそれらではカバーしきれていない分野の実証として、前ページの①〜④のテーマに該当するサービスについての公募がなされました。

　経済産業省の「「未来の教室」とEdTech研究会」の「未来の教室」ビジョンを踏まえた、「未来の教室」の実現に向けて必要なサービスの実証事業であることが大前提です。

　申請書の作成においては、ビジョンで議論されている「未来の教室」の目指す姿に、どう貢献し得る事業なのかについて説明することが一番のポイントになるでしょう。

　各テーマには、それぞれ個別にいくつかの要件がありますので、それを満たす提案をしなくてはなりません。

　なお、これは、委託事業に共通して言えることですが、公募は、あくまで提案（アイディア）の公募という形になっています。採択後に、事務局と内容・費用についての交渉を進め、最終的に事業内容に合意することをもって、最終的な委託契約が成立することになります。双方の合意に至らない場合、契約が成立しない可能性があることにも留意しましょう。

採択事例
①株式会社スプリックス
②株式会社城南進学研究社
　NPO法人SOMA
③住友商事株式会社
④一般財団法人活育教育財団
　株式会社教育と探求社
　タクトピア株式会社
　株式会社Barbara Pool
　株式会社ベネッセコーポレーション
　株式会社Ridilover

31 革新的サービス

東京

革新的サービスの事業化支援事業

東京発の新サービス事業モデルの創出を目指して取り組む、革新的サービスの事業化を、補助金とハンズオン支援で応援してくれる補助金です。

補助金額の上限	★★★	2,000万円
補助率の上限	★★★	1／2
補助事業期間（最長）	★★★★	2年
中小企業向き	★★★★★	東京都内に本店・支店のある中小企業を対象とした補助金です。東京都内での創業を具体的に計画している者も申請できます。
採択数	★★★	第1回：10件　第2回：12件　合計：22件（2019年）
採択率	★	19.4％（2018年）

申請タイプ
【補助金】

連携	中小企業グループによる共同申請も可能です。
法認定等	指定された事業やビジネスプランコンテストにおける表彰・助成・支援・入賞などの実績が必要です。
審査方式	一次審査（書類審査）を通過した申請者に対して、二次審査（面接審査）が行われます。
対象となる経費	マーケティング調査委託費、開発費（原材料・副資材費、外注・委託費、直接人件費）、設備導入費、規格認証費、産業財産権出願費、販路開拓費（展示会等参加費、イベント開催費、広報ツール製作費、広告掲載費）

公募期間	第1回　申請予約：4月17日〜5月22日　申請書提出：5月27日〜5月31日　第2回　申請予約：7月17日〜9月25日　申請書提出：9月30日〜10月4日(2019年)
問い合わせ先	公益財団法人東京都中小企業振興公社　経営戦略課 TEL：03-5822-7232

最新の公募要領

成長戦略データベース

この補助金に申請するには、指定された事業やビジネスプランコンテストにおける表彰・助成・支援・入賞などの実績が必要です。毎回30近くの事業が指定されている他、国や自治体、公的機関等が主催するビジネスプランコンテスト（例：勇気ある経営大賞、日本サービス大賞等）における入賞も対象になります。

　申請資格の中でそれほど難易度が高くないのが、経営革新計画の承認です。ただ、経営革新計画の承認を受けるには、最短でも２ヶ月程度はかかります。公募が始まってからでは間に合いませんので、早めの準備が必要です。
　また、単に経営革新計画の承認を受ければいいのではありません。この補助金で申請する革新的サービスの内容で、経営革新計画の承認を受けている必要があります。他の申請資格（補助金やコンテスト）でも同様です。ご注意ください。

　１年に２回公募があり、その点では挑戦しやすいです。また、２年間の支援期間は２期に分かれており、１期毎に補助金を受け取れるのもありがたいです（ただし実績報告書の提出も２回必要になります）。

採択事例
・タッチ動画TIGの視聴データ解析ツールの開発と提供　　　パロニム株式会社
・病児保育施設のマッチングサービスの開発　　Connected Industries株式会社
・システム化した片側交互通行誘導サービス提供事業
　　　　　　　　　　　　　　　　　　株式会社VOLLMONTホールディングス
・SES・IT派遣会社のマッチング推進AI「Qoala」提供事業　　　リフ株式会社
・日本発地域密着型お買い物代行サービス　　　　ダブルフロンティア株式会社

第４章

開発
（エネルギー）
に関する補助金

新技術先導研究プログラム

新技術先導研究プログラム

将来の国家プロジェクト等に繋がるような、持続可能なエネルギー供給の実現や新産業創出による産業競争力の向上に有望な技術の原石を支援する委託事業です。

委託金額の上限	★★★★	1億円 ※ステージゲート審査を通過し2年となった場合は2億円
補助率の上限	★★★★★	委託（1／1）
委託事業期間 （最長）	★★	原則1年度。ステージゲート審査を通過したものに限り2年度。
中小企業向き	★★★	企業規模に関係なく申請できます。
採択数	★★★	①44件　②6件　合計：50件（2019年）
採択率	★★	39.7%（2019年）

申請タイプ
【委託事業】①エネルギー・環境新技術先導研究プログラム 【委託事業】②新産業創出新技術先導研究プログラム

連携	大学等との連携必須ですが、連名申請でなく、企業が申請し大学等に再委託する形でも可能です。
法認定等	「ワーク・ライフ・バランス等推進企業」に関する認定を受けていると加点されます。
審査方式	書類審査に加え、必要に応じてヒアリングが行われる場合があります。
対象となる経費	直接経費（機械装置等費、労務費、その他経費）、間接経費（直接経費の20%（中小企業以外は10%））、再委託費・共同実施費

公募期間	12月26日〜翌2月28日（2019年）
問い合わせ先	NEDO（国立研究開発法人新エネルギー・産業技術総合開発機構）　イノベーション推進部　フロンティアグループ　FAX：044-520-5177 E-mail：enekan@nedo.go.jp

最新の公募要領

成長戦略データベース

この委託事業は、我が国の①省エネルギー、新エネルギー、CO2削減等のエネルギー・環境分野（エネルギー・環境新技術先導研究プログラム）および②新産業創出に結びつく産業技術分野（新産業創出新技術先導研究プログラム）の中長期的な課題を解決していくために必要となる技術シーズを発掘し、将来の国家プロジェクト等に繋げていくことを目的としています。

　設定された研究開発課題に該当する研究開発テーマ（申請テーマ）が対象です。研究開発課題は毎年設定され、2020年度の公募では①は14課題、②は4課題が設定されました。

　研究開発課題は、公募開始前に行われる情報提供依頼（RFI：Request for Information）によって提供された情報を参考に設定されます（2019年度からはRFI以外からも設定）。情報提供は申請の必須条件ではありませんが、情報提供書を出すと実質的に有利になると言えるでしょう。

　審査においては、新規性、革新性及び独創性が高いものであって、研究開発に成功した場合、産業へ大きなインパクトを期待できるものであること、すなわち、ハイリスクではあっても、ハイリターンが期待できるものであることが重視されています。そのため、研究開発フェーズとしては取組のごく初期の段階であり、実用化までの確実な見通しをつけることが現時点では困難であるものが対象となります。

開発（エネルギー）

採択事例

①研究開発課題：従来法での計測不能領域を革新的手法により計測可能にする産業プロセス用センサー
　申請テーマ名：高温等過酷環境向けプロセスセンサーの研究開発
　　　　　　　　　　　　　　　　株式会社XMAT／国立大学法人東北大学

②研究開発課題：産業用途向けに役立つ、電流密度耐性を持った機能性合金材料の実現に資する技術開発
　申請テーマ名：ポスト・ムーア時代の次世代配線開発
　　　　　　　国立大学法人東北大学大学院工学研究科／株式会社アルバック／
　　　　株式会社荏原製作所／JX金属株式会社／株式会社マテリアル・コンセプト

未踏チャレンジ2050

未踏チャレンジ2050

革新的な低炭素技術シーズに関する先導研究を行うNEDOの委託事業です。産業界のニーズを踏まえNEDOが指定した課題を、産学連携で解決することを目指しています。

委託金額の上限	★★★★	1億円（2,000万円×5年）
補助率の上限	★★★★★	委託（1／1）
委託事業期間（最長）	★★★★★	5年度
中小企業向き	★★★★	企業規模に関係なく申請できますが、中小企業は間接経費比率が優遇されています。
採択数	★★	9件（2019年）　4件（2018年）　8件（2017年）
採択率	★★	27.3%（2019年）　18.2%（2018年）　20.5%（2017年）

申請タイプ
【委託事業】

連携	大学・研究機関等と連携して申請する必要があります。
法認定等	「ワーク・ライフ・バランス等推進企業」に関する認定を受けていると加点されます。
審査方式	書類審査に加え、必要に応じてヒアリングが行われる場合があります。
対象となる経費	機械装置費等（土木・建築工事費、機械装置等製作・購入費、保守・改造修理費）、労務費（研究員費、補助員費）、その他経費（消耗品費、旅費、外注費、諸経費）、間接経費（中小企業：20%以内、その他：10%以内）、委託費・共同研究費

公募期間	5月24日〜7月12日（2019年）
問い合わせ先	NEDO（国立研究開発法人新エネルギー・産業技術総合開発機構）　イノベーション推進部　フロンティアグループ　FAX：044-520-5177　E-mail：mitou@nedo.go.jp

最新の公募要領

成長戦略データベース

2017年から公募のある委託事業です。事務局であるNEDOが指定する研究開発内容は、毎年そう大きくは変わっていません。2019年は、以下が指定されました。

①次世代パワーエレクトロニクス

②環境改善志向次世代センシング

③超電導材料開発及び応用

④軽量・耐熱の極限を目指す未来材料

⑤CO2有効活用 Net Zero Emission あるいは低濃度CO2直接資源化

いずれかの分野に該当する、2050年頃を見据えた温室効果ガスの抜本的な排出削減を実現する革新的な技術・システムについて「解決するべき技術課題」と「それを解決する研究開発内容」の提案が公募され、選ばれた提案が、NEDOの委託事業として実施されることになります。

実施体制は、原則として企業および大学・公的研究機関等で構成する産学連携体制です。民間企業と大学等の連名申請の他、大学等が単独申請し、民間企業に再委託し共同実施する形も認められています。

大学・研究機関の登録研究員（研究開発責任者・主要研究員を含む）は40歳未満であることが条件（再委託先、共同実施先を含む）です。

実施期間は3～5年ですが、研究開発の途中段階でステージゲート審査が実施され、その審査結果や進捗状況等により、見直しや中止がなされる可能性もありますので注意しましょう。

採択事例

・研究分野：超軽量・超耐熱構造材料
　新次元の超軽量ハイエントロピー合金等の研究開発
　　　　　　　　　　　　株式会社コベルコ科研／国立大学法人北海道大学

・研究分野：Net zero Emission（NZE）を実現するCO2有効活用技術
　二酸化炭素とジオールの重合用固体触媒プロセスの開発
　　　　　　　　　　　　国立大学法人東北大学／新日鐵住金株式会社

・研究分野：Direct Air capture（DAC）を実現する複合技術
　排気ガス由来低濃度CO2の有用化製品への直接変換
　　　　　　　　　　　　国立研究開発法人産業技術総合研究所／東ソー株式会社

再生可能エネルギー分野の革新的な技術シーズを基にしたベンチャー企業の研究開発を、フィージビリティ・スタディ、基盤研究、実用化研究開発、大規模実証研究の4つのフェーズで支援してくれる補助金です。

補助金額の上限	★★★★★	①−A：1,250万円　①−α：1,500万円 ②−B：6,250万円　②−β：7,500万円 ③7,500万円　④4億5,000万円
補助率の上限	★★★★	①−A：8／10　①−α：2／3　②−B：8／10 ②−β：2／3　③：2／3　④2／3（大企業1／2）
補助事業期間 （最長）	★★★★★	①−A：1年度　①−α：1年度　②−B：1.5年度 ②−β：2年度　③：2年度　④：3年度
中小企業向き	★★★★★	中小企業を主な対象とした補助金です。④のみ、共同申請者として大企業も参画できます。
採択数	★★	太陽光発電3件、バイオマス4件、燃料電池・蓄電池5件、地熱・熱利用0件、風力発電その他未利用エネルギー4件、系統2件、全固体リチウムイオン電池2件、合計：20件（2019年）
採択率	★★	38.5%（2019年）

申請タイプ
【補助金】①−A：フィージビリティ・スタディ（社会課題解決枠） 【補助金】①−α：フィージビリティ・スタディ（新市場開拓枠） 【補助金】②−B：基盤研究（社会課題解決枠） 【補助金】②−β：基盤研究（新市場開拓枠） 【補助金】③実用化研究開発　【補助金】④大規模実証研究開発

連携	共同申請も可能です。
法認定等	法認定は不要です。
審査方式	一次審査（書類審査）を通過した申請者に対して、二次審査（プレゼンテーション審査）が行われます。
対象となる経費	機械装置費等（土木・建築工事費、機械装置等製作・購入費、保守・改造修理費）、労務費（研究員費、補助員費）、その他経費（消耗品費、旅費、外注費、諸経費）、共同研究費（50%未満）

公募期間	3月18日〜4月16日（2020年）
問い合わせ先	NEDO（国立研究開発法人新エネルギー・産業技術総合開発機構）　イノベーション推進部　プラットフォームグループ　TEL：044-520-5171

最新の公募要領

成長戦略データベース

再生可能エネルギーの普及につながる、以下の分野が対象です。

・太陽光発電、風力発電、水力発電、地熱発電、バイオマス利用、太陽熱利用、その他未利用エネルギー（ただし原子力を除く）分野。

・再生可能エネルギーの普及、エネルギー源の多様化に資する新規技術（燃料電池、蓄電池、エネルギーマネジメントシステム等）

　研究開発の段階によって分けられた4つのフェーズのうち、フィージビリティ・スタディと基盤研究のフェーズにはそれぞれ「社会課題解決枠」と「新市場開拓枠」があります。社会課題解決枠は、NEDOが設定する課題に合致するテーマであり、大学等（大学、国立研究開発法人、独立行政法人の試験研究機関等）と連携体制で行うもの、新市場開拓枠は、VC等（国内のベンチャーキャピタルやシード・アクセラレーター等）からの支援を得て行うものが対象です。

　大規模実証研究開発フェーズは、既に確立した基盤技術をもとに、必要に応じて自治体や大企業等と連携し、事業化に向けて実施する大規模な実証研究が対象です。

　フィージビリティ・スタディおよび基盤研究の社会課題解決枠は、ステージゲート審査を経て次のフェーズに移行することが前提となっており、事業終了時にステージゲート審査を受けることが原則です。それぞれのフェーズで得られた結果（研究開発成果、ビジネスプラン、次のフェーズでの計画等）をもとに、次のフェーズへの継続可否が判断されます。

　一方、実用化研究開発から大規模実証研究開発への移行には、ステージゲート審査は採用されていません。大規模実証研究開発の採択は、すべて公募により決定されます。

開発（エネルギー）

採択事例

・高効率、低価格モーターのためのNdFeB磁石の最新プレスレス法（BNPLP法）の開発　　　　　　　　　　　　　　　NDFEB株式会社／株式会社e-Gle

・レドックスフロー電池用電解液製造プロセスの実証研究開発
　　　　　　　　　　　　　　　　　　　　　　　　LEシステム株式会社

・農地発電用途に適した円筒型太陽電池システムの技術開発
　　　　　　　　　　　　　　株式会社フジコー／CKD株式会社／九州工業大学

戦略的省エネルギー

戦略的省エネルギー技術革新プログラム

現行の「省エネルギー技術戦略」で掲げる「重要技術」を中心に、高い省エネルギー効果が見込まれる技術開発を支援してくれる補助金です。

補助金額の上限	★★★★★	①－A：2,666万円（1,333万円×2年） ①－B：6億円（2億円×3年） ①－C：15億円（5億円×3年） ②33億3,000万円（6億6,600万円×5年） ※①－Aおよび②は概算 ※大企業個社（共同申請者、委託先または共同研究先なし）の体制の場合は別途上限額
補助率の上限	★★★★	①－A：2／3 ①－B：2／3 ①－C：1／2 ②：2／3 ※大企業個社の体制の場合は別途補助率
補助事業期間（最長）	★★★★★	①－A：2年度 ①－B：3年度 ①－C：3年度 ②：5年度
中小企業向き	★★★★	企業規模に関係なく申請できますが、中小企業は補助率が優遇されています。中小・ベンチャー企業による申請（メンバーに含むものも対象）は加点されます。
採択数	★★★	第1回 ①－A：3件 ①－B：10件 第2回 ①－A：4件 ①－B：8件 ①－C：3件 ②2件 合計：30件（2019年）
採択率	★★★	第1回 50.0% 第2回 58.6%（2019年）

申請タイプ
【補助金】①－A：基本スキーム（インキュベーション研究開発フェーズ） 【補助金】①－B：基本スキーム（実用化開発フェーズ） 【補助金】①－C：基本スキーム（実証開発フェーズ） 【補助金】②テーマ設定型事業者連携スキーム

連携	①は連携可能、 ②は連携必須です。
法認定等	法認定は不要です。
審査方式	書類審査に加え、必要に応じてプレゼンテーション審査が行われる場合があります。
対象となる経費	機械装置費等（土木・建築工事費、機械装置等製作・購入費、保守・改造修理費）、労務費（研究員費、補助員費）、その他経費（消耗品費、旅費、外注費、諸経費）、委託費・共同研究費（50%未満）

公募期間	第1回：2月6日〜3月16日（2020年） 第2回：7月18日〜8月23日（2019年）
問い合わせ先	NEDO（国立研究開発法人新エネルギー・産業技術総合開発機構） 省エネルギー部 「戦略的省エネルギー技術革新プログラム」事務局 FAX：044-520-5187 E-mail：shouene@nedo.go.jp

最新の公募要領

成長戦略データベース

省エネ法に定められたエネルギー（燃料、熱、電気）の、大幅な使用量削減が見込まれる技術の開発に対し支援が行われます。

この補助金の特徴は、経済産業省とNEDOが定めた現行の「省エネルギー技術戦略」に掲げる「重要技術」に該当する技術開発テーマが優先的に採択されることにあります。

省エネルギー技術戦略の重要技術は、2019年7月に3年ぶりに改訂され、廃熱利用や再エネ主力電源化につながる省エネルギー技術が追加されています。重要技術の一覧をまず確認しましょう。

申請タイプは、①基本スキームと②テーマ設定型事業者連携スキームに分かれています。②は連携が必要かつ中小企業にとっては大規模なので、連携体の1メンバーとして参加する形が現実的でしょう。

中小企業でも比較的チャレンジしやすい①では、開発リスクや開発段階が開発技術ごとに異なることを考慮し、上限額や補助率、実施期間が異なる3つの技術開発フェーズが設けられています。

それぞれ上限額や補助率、実施期間が異なっています。どれか1つを選んで申請してもいいですし、組み合わせて申請することも可能です。

複数の技術開発フェーズの組み合せで採択された場合、フェーズ移行時にはステージゲート審査が行われます。また、「実用化開発」、「実証開発」のみの場合でも、3年で行う場合は、2年目終了前に中間評価が行われ、その評価によって、継続の可否が決定されます。

開発（エネルギー）

採択事例

①－A：次世代自動車用磁歪式トルクセンサの開発　　　　多摩川精機株式会社
①－B：土砂等貨物の運搬効率を飛躍的に向上させるフッ素樹脂と金属板の直接接合技術によるダンプカー等荷台設置部材の開発

株式会社ヒロテック

①－C：インクジェット印刷と無電解銅めっきによるFPC量産技術開発

エレファンテック株式会社

②：多品種少量生産に適した半導体デバイス製造ファブの実現

株式会社共和電業／浜松ホトニクス株式会社／
一般社団法人ミニマルファブ推進機構／横河ソリューションサービス株式会社／
誠南工業株式会社／株式会社デザインネットワーク

36 全国 再エネ熱利用コスト低減技術開発

再生可能エネルギー熱利用にかかるコスト低減技術開発

再生可能エネルギー熱利用システムのトータルコスト低減を実現する、高効率機器の開発や、蓄熱や複数熱源を組み合わせたシステムの実用化技術の研究開発を支援してくれる補助金です。

補助金額の上限	★★★★★	3億円（1億円×3年）
補助率の上限	★★★	1／2
補助事業期間（最長）	★★★★★	3年度
中小企業向き	★★★	企業規模に関係なく申請できます。
採択数	★	第1回：①2件　②1件 第2回：①2件　合計：5件（2019年）
採択率	★★★★★	第1回：100.0%　第2回：100.0%（2019年）

申請タイプ
【補助金】①地中熱利用システムの低コスト化技術開発 【補助金】②太陽熱等利用システムの高度化技術開発

連携	コンソーシアム形式での申請が必須です。
法認定等	法認定は不要です。
審査方式	書類審査に加え、必要に応じてヒアリングが行われる場合があります。
対象となる経費	機械装置費等（土木・建築工事費、機械装置等製作・購入費、保守・改造修理費）、労務費（研究員費、補助員費、その他経費（消耗品費、旅費、外注費、諸経費）、委託費・共同研究費

公募期間	第1回：3月8日〜4月18日 第2回：9月17日〜10月21日（2019年）	最新の公募要領 成長戦略データベース
問い合わせ先	NEDO（国立研究開発法人新エネルギー・産業技術総合開発機構）　新エネルギー部　熱利用グループ FAX：044-520-5276 E-mail：thermalgroup@ml.nedo.go.jp	

地域偏在性がなく安定したエネルギー源として、地中熱、太陽熱等の再生可能エネルギー熱利用が注目されています。この補助金は、それらを普及拡大させるための、コストダウンを目指す研究開発で、コンソーシアム体制で取り組むものが対象です。

　具体的には以下の２つの事業が対象となっています。

①地中熱利用システムの低コスト化技術開発

　大規模建築物、小規模建築物等、それぞれの建築物に導入することを想定した、我が国の利用に適合した高効率機器の開発、施工期間短縮に資する施工技術の開発、地中熱利用システムの最適化技術の開発、評価・定量化技術の高機能化開発等に取り組み、地中熱利用システムのトータルコスト低減に資する技術を開発する事業。

②太陽熱等利用システムの高度化技術開発

　高効率機器の開発や、年間を通じた太陽エネルギーの最大限の活用に資する太陽熱利用機器の開発、評価・定量化技術の高機能化開発、再生可能エネルギー熱を含む多様な熱源を組み合わせたシステムの最適化技術開発等に取り組み、太陽熱等利用システムのトータルコスト低減に資する技術を開発する事業。

　②では、太陽熱の他に、下水熱、雪氷熱、温泉熱、海水熱、河川熱、バイオマス熱等も対象です。

　「コンソーシアム体系で取り組むもの」とありますが、必ずしも大々的なコンソーシアムを組む必要はありません。2019年の採択結果では、５件中３件が２社での申請で、中小企業の参加も見られます。いかによい相手を探して連携するかが成功のポイントでしょう。

開発（エネルギー）

採択事例

①給湯負荷のある施設への導入を想定した地中熱利用ヒートポンプシステムの研究開発　　　　　　　　　　　株式会社ワイビーエム／昭和鉄工株式会社

①ZEB化に最適な高効率帯水層蓄熱を利活用したトータル熱供給システムの研究開発　　　　日本地下水開発株式会社／ゼネラルヒートポンプ工業株式会社

②天空熱源ヒートポンプ（SSHP）システムのライフサイクルに亘るコスト低減・性能向上技術の開発　　鹿島建設株式会社／ゼネラルヒートポンプ工業株式会社

37 福島県再エネ技術実証

全国

再生可能エネルギー関連技術実証研究支援事業

東日本大震災後に新たに研究開発を進めてきた再生可能エネルギー関連技術の、福島県における事業化・実用化のための実証研究事業を支援してくれる補助金です。

補助金額の上限	★★★★★	3億円
補助率の上限	★★★★	2／3
補助事業期間（最長）	★★	原則1年度だが、①は2年度、②は3年度まで可。
中小企業向き	★★★	企業規模に関係なく申請できます。
採択数	★★	①8件　②9件　合計：17件（2019年）
採択率	——————	不明（2019年）

申請タイプ
【補助金】①新規事業
【補助金】②継続事業

連携	共同申請も可能です。
法認定等	法認定は不要です。
審査方式	一次審査（書類審査）を通過した申請者に対して、二次審査（プレゼンテーション審査）が行われます。
対象となる経費	人件費、施設工事費、備品費、借料及び損料、消耗品費、外注費、その他諸経費

公募期間	①2月25日〜4月12日 ②2月25日〜3月12日　（2019年）
問い合わせ先	福島県　商工労働部　産業創出課 TEL：024-521-8286 E-mail：saiene-sangyo@pref.fukushima.lg.jp

最新の公募要領

成長戦略データベース

福島県内に事務所または事業所がある民間企業等による研究開発事業で、研究開発の大部分を福島県内において実施する事業が対象です。

他県の企業（他県に本店のある企業）でも対象となるので、意外と活用できる企業は多く、実際に採択者リストにも顔を出しています。

技術開発の成果について、福島県内での製造につなげるなどの事業化を計画していることも要件となっています。

外注費や委託費は補助対象外となっており、業務を他社に委託することはできないため、共同研究の場合は共同申請が認められています。

共同申請の場合、幹事法人の事務所または事業所が県内にあればよく、他のメンバーにはその要件は求められない点も、活用しやすいと言えます。

事業実施期間は原則1年度ですが、事業の工程上、1年度では事業完了が困難であり、かつ全事業期間の事業費と年度毎の発生経費を明確に区分した事業計画が提出された場合に限り、複数年度にわたる事業として最長2年度（継続事業の場合は3年度）の事業期間が認められます。

採択事例

・ブロックチェーンを活用した再エネ普及に向けた模擬DR実証事業
　　　　　株式会社会津ラボ（会津若松市）／株式会社エナリス（東京都）

・ガス化発電による森林バイオマス地産地消システムの実用化研究
　　　　　　　　　　　　　　　福島トヨペット株式会社（郡山市）／
　　　　　　　株式会社ユニバーサルエネルギー研究所（東京都）

・フライホイールによる長寿命系統安定化システムの実証
　　　　　福島サンケン株式会社（二本松市）／サンケン電気株式会社（埼玉県）

・準浅層非排水非排土熱交換器埋設工法開発・実証事業
　　　　　　　　　　　　　　　　　新協地水株式会社（郡山市）

・フライホイール蓄電システムの製品化に向けた実証研究
　　　　　　　　　　　　　　　　日本工営株式会社（須賀川市）

・低CO2低コスト型木質バイオマス燃料製造装置の実証研究
　　　　　　　　　　　　　　　　　株式会社シーズ（棚倉町）

・家畜由来の原料によるバイオマス発電システムの実証研究
　　　　　　　　　　　　　　　　　共栄株式会社（いわき市）

コ・イノベーション低炭素技術

コ・イノベーションによる途上国向け低炭素技術創出・普及事業

エネルギー起源CO2排出削減に資する途上国向け低炭素技術のリノベーションおよび実証を支援してくれる補助金です。JCMを構築している途上国（可能性も含む）が対象です。

補助金額の上限	★★★★★	上限額なし
補助率の上限	★★★★	中小企業２／３、それ以外は採択時の単年度当たりの事業費が１億円超の場合１／２、１億円以下の場合１／３
補助事業期間（最長）	★★★★★	３年度
中小企業向き	★★★★	企業規模に関係なく申請できますが、中小企業は補助率が優遇されています。
採択数	★★	１次公募：５件　２次公募：３件　３次公募：１件 合計：９件（2019年）
採択率	———	不明（2019年）

申請タイプ
【補助金】

連携	共同申請も可能です。
法認定等	法認定は不要です。
審査方式	書類審査に加え、ヒアリング審査が行われます。
対象となる経費	工事費（本工事費、付帯工事費、機械器具費、測量及試験費）、設備費、業務費、事務費

公募期間	１次公募：４月22日～５月31日 ２次公募：８月５日～８月30日 ３次公募：10月11日～11月１日（2019年）
問い合わせ先	環境省　地球環境局　国際地球温暖化対策担当参事官室 TEL：03-5521-8330

最新の公募要領

成長戦略データベース

低炭素技術の普及を図るパートナー国は、JCM（二国間クレジット制度）を構築している国だけでなく、JCMを構築する可能性がある国も対象です。

　対象となる技術は、以下となっています。

・途上国の廃棄物対策を通じてエネルギー起源のCO2排出削減に資する技術

・途上国における運輸部門、家庭部門、業務その他部門等の低炭素化に資する技術

・途上国への太陽光、風力、地熱、水力等の再生可能エネルギーの導入促進に貢献する技術

・途上国の社会システムを低炭素型へと革新する技術

・その他、エネルギー起源のCO2排出削減に資する技術

　システム技術や複数技術のパッケージ化された技術が望まれているため、審査で加点対象となっています。単独技術でも申請は可能ですが、採択される可能性は低いでしょう。

　システム化やパッケージ化の一例として、「バイオマスエタノール製造プラント」、「EMSを使った熱と電気の最適制御」、「風力発電＋EV充電インフラ＋EV」、「太陽光発電＋蓄電池＋EMS」があげられています。

　申請書では、リノベーション・実証事業が必要な理由や、具体的な改良等の内容を明確にする必要があります。また、算出過程も含む二酸化炭素の削減量の根拠の明示が求められます。

　採択事例

・インドネシア版セイフティレコーダ（ISR）を用いた運送トラックの燃費改善による低炭素化と物流効率改善への支援実証（インドネシア）

株式会社データ・テック

・途上国の青果物・花卉用スマートコールドチェーン構築のための高湿度可搬型コンテナ冷蔵庫システムの実証（フィリピン、タイ）

有限会社クライメート・エキスパーツ

・高耐風速垂直軸型マグナス式風力発電機を活用した離島向けマイクログリッドシステムの開発実証（フィリピン）　　株式会社チャレナジー

・小規模離島向け自立型ハイブリッド発電制御システムの開発（モルディブ）

タマデン工業株式会社

第5章

開発
（医療・介護）
に関する補助金

医工連携（開発・事業化）

医工連携イノベーション推進事業（開発・事業化事業）

医療現場が抱える課題に応える医療機器について、日本が誇る「ものづくり技術」を活かした開発・事業化を行う連携プロジェクトを支援してくれる補助金です。

項目	評価	内容
補助金額の上限	★★★★★	2億9,640万円（{7,600万円（直接経費）＋間接経費（直接経費の30%）}×3年） ※①で2年目以降治験実施計画の届出に基づき治験を実施する年度は直接経費は1億1,500万円／年 ※②で非医療機器の場合は直接経費は3,800万円／年
補助率の上限	★★★★	2／3
補助事業期間（最長）	★★★★★	3年度
中小企業向き	★★★★★	ものづくり中小企業を含む共同体を対象とした補助金です。
採択数	★★	11件（2019年）※前身である医工連携事業化推進事業（開発・事業化事業）の①②③の件数
採択率	★★	1次公募：30.0%　3次公募：18.6%（2019年）

申請タイプ
①市場拡大が期待されるクラスⅢ、Ⅳの医療機器の開発支援 【補助金】A：国内外において事業化を目指すクラス分類がⅢまたはⅣの革新的な新医療機器または改良医療機器となることが想定される医療機器 【補助金】B：国内市場において輸入製品の代替を目指すクラス分類がⅢまたはⅣの後発医療機器となることが想定される医療機器 ②「医療機器開発の重点化に関する検討委員会」で設定された重点五分野に係るクラスⅠ、Ⅱの医療機器または非医療機器の開発支援 【補助金】C：クラス分類がⅠまたはⅡの後発医療機器となることが想定される医療機器 【補助金】D：臨床現場の効率改善、安全性向上に寄与する非医療機器

連携	「ものづくり中小企業」、「製造販売企業」、「医療機関」を含む共同体を組織し、そのうちの国内の民間企業が代表機関となり申請します。
法認定等	法認定は不要です。
審査方式	書類審査に加え、必要に応じてヒアリングが行われる場合があります。
対象となる経費	直接経費（物品費、旅費、人件費・謝金、その他）、間接経費（直接経費の30%以内）

公募期間	2月14日〜3月31日（2020年）
問い合わせ先	AMED（国立研究開発法人日本医療研究開発機構） 産学連携部　医療機器研究課　TEL：03-6870-2213 E-mail：ikou_nw@amed.go.jp

最新の公募要領

成長戦略データベース

開始時に、開発する機器のターゲットや基本的な事業戦略がまとまっており、終了時には薬事申請の目処がつくものが対象です。

市場拡大が期待されるクラスⅢ、Ⅳの医療機器の開発支援や、「重点五分野」のクラスⅠ、Ⅱの医療機器または非医療機器の開発支援が対象です。

（重点五分野とは、(1)検査・診断の一層の早期化、簡易化、(2)アウトカム最大化を図る診断・治療の一体化（がん）、(3)予防（高血圧、糖尿病等）、(4)高齢化により衰える機能の補完・QOL向上、(5)デジタル化／データ利用により診断・治療の高度化）

事業を行う共同体には、「ものづくり中小企業」、「製造販売企業」、「医療機関」を置くことが必須です。メンバーの追加・変更は原則として認められませんので、申請前までにしっかりと共同体を組織する必要があります。

メンバーのうち、企業である者は、日本国内に本社を置き、かつ、日本国内で機器開発、製造等を行っていること（予定を含む）が必要です。医療機器製造販売企業は補助期間中の業許可取得でも認められます。

必須メンバーであるものづくり中小企業は、共同体内の役割として医療機器等の開発・改良の本質的な部分を担うことが必要です（本質的な部分（主たる開発要素がある業務、特別な技術を要する業務等）を共同体外へ発注することはできません）。

採択事例　※前身である医工連携事業化推進事業（開発・事業化事業）の医療費削減効果の採択事例

・慢性期脳卒中を対象とした小型・軽量・安全・安価な手指リハビリロボット

株式会社メグウェル／帝人ファーマ株式会社（製造販売企業）／
株式会社三松（ものづくり中小企業）／国立大学法人九州大学

・通信機能つき輸液ポンプを用いたがん薬物療法室向け業務支援システムの開発・事業化

テルモ株式会社（製造販売企業）／
国立研究開発法人国立国際医療研究センター病院／
ドゥウェル株式会社（ものづくり中小企業）

開発（医療・介護）

121

ロボット介護

ロボット介護機器開発・標準化事業（開発補助事業）

ロボット介護機器を開発し、介護現場への導入促進を図ることを目標とした補助金で、介護現場のニーズに基づいた、自立を支援するロボット介護機器の開発を支援してくれます。

補助金額の上限	★★★★★	1億9,998万円（{9,090万円＋間接経費（直接経費の10%以下）}×2年）　※概算
補助率の上限	★★★★	中小企業2／3　大企業1／2
補助事業期間（最長）	★★★★	2年度
中小企業向き	★★★★	企業規模に関係なく申請できますが、中小企業は補助率が優遇されています。また、①②では、コンソーシアム内に中小企業を含む取組が評価されます。
採択数	★★	7件（2019年）
採択率	———	不明（2019年）

申請タイプ
【補助金】

連携	事業実施においては、効果検証を行う介護施設や介護サービス事業者等との連携が必須です。
法認定等	法認定は不要です。
審査方式	書類審査に加え、必要に応じてヒアリングが行われる場合があります。
対象となる経費	物品費、旅費、人件費・謝金、その他（研究成果発表費用、安全検証試験費、会議費、運搬費、機器リース費用、機器修理費用、印刷費、外注費等）、間接経費（直接経費の10%以内）

公募期間	3月1日〜4月11日（2019年）	最新の公募要領 成長戦略データベース
問い合わせ先	AMED（国立研究開発法人日本医療研究開発機構）産学連携部　医療機器研究課　ロボット介護機器開発・標準化事業担当　E-mail：robot-kaigo@amed.go.jp	

ロボット介護機器 開発・標準化事業には、３タイプありますが、中小企業が挑戦しやすいのは、この「開発補助事業」です。補助率も、大企業２分の１に対して、中小企業は３分の２と優遇されています。

　対象となるロボット介護機器は、経済産業省と厚生労働省が連携して策定した重点分野から毎回指定されますので、当てはまるかどうかをよく確認することが重要です。
　2019年度は、移動支援（装着移動）、排泄支援（排泄予測、排泄動作支援）、見守りコミュニケーション（コミュニケーション）、介護業務支援の４分野５項目の機器が指定されました。

　申請書の他に、「ニーズ調査報告書」の提出が求められています。介護施設や介護サービス事業者全体でのロボット機器導入効果や介護方法の改善も視野に入れたニーズを深掘りし、それを申請書に反映させることがポイントです。

採択事例
・転倒予防機能を備えたロボティックウェア"curara（R）移動支援用"の開発
AssistMotion 株式会社
・排泄支援アシストロボットに関する研究開発
株式会社がまかつ
・高齢者の転倒リスク低減のための見守り声かけコミュニケーションロボットの研究開発
エコナビスタ株式会社
・認知症の人の生活不安・ストレスを軽減するコミュニケーションロボットの研究開発―認知症バリアフリー機器の開発―
株式会社幸和製作所

開発（医療・介護）

41

全国

福祉用具実用化

課題解決型福祉用具実用化開発支援事業

多品種少量生産であり開発の難しい福祉用具について、実証機関（病院、老人福祉施設、障害者支援施設など）と連携した実用化開発を支援してくれる補助金です。

補助金額の上限	★★★★	6,000万円（2,000万円×3年）
補助率の上限	★★★★	中小企業2／3　みなし大企業1／2
補助事業期間（最長）	★★★★★	3年度
中小企業向き	★★★★★	中小企業・みなし大企業を対象とした補助金です。中小企業は補助率が優遇されています。
採択数	★	3件（2019年）
採択率	★★	25.0％（2019年）

申請タイプ
【補助金】

連携	共同申請も可能です。事業実施においては「実証機関」との連携が必要です。
法認定等	法認定は不要です。
審査方式	一次審査（書類審査）を通過した申請者に対して、二次審査（プレゼンテーション審査）が行われます。
対象となる経費	機械装置費等（土木・建築工事費、機械装置等製作・購入費、保守・改造修理費）、労務費（研究員費、補助員費）、その他経費（消耗品費、旅費、外注費、諸経費）、共同研究費（50％未満）

公募期間	2月6日〜3月12日（2019年）
問い合わせ先	NEDO（国立研究開発法人新エネルギー・産業技術総合開発機構）　イノベーション推進部　プラットフォームグループ　TEL：044-520-5175　E-mail：fukushi@nedo.go.jp

最新の公募要領

成長戦略データベース

開発体制に「実証機関」を含み、申請者が実証機関と連携して実際のユーザーを対象にした実証試験を行うことが必須要件となっています。

「実証機関」とは、病院、老人福祉施設、障害者支援施設等で、開発する福祉用具のニーズを把握し、実証試験を行える体制を持つなど、申請者単独では成し得ない実用的な機器開発へ貢献する役割を担います。複数の実証機関が参画することも可能です。

連携する実証機関が公的研究機関であり、共同研究契約に基づき実証試験を行う場合、「共同研究先」と位置づけられ、補助対象経費である共同研究費として計上できます。実証機関が民間企業の場合は、協力機関と位置づけられ、共同研究費として計上できません。

その他にも、以下の要件を満たす事業であることが必要です。
・研究開発の対象となる機器が「福祉用具」である事、全く同一の機能、形態の製品が存在しないという新規性、技術開発要素を持っていること。
・その事業が、利用者ニーズに適合し、技術開発要素を有すること。
・その福祉用具の実用化開発により、介護支援、自立支援、社会参加支援、身体代替機能の向上等具体的な効用が期待され、かつ一定規模の市場が見込まれ、更にユーザーからみて経済性に優れているものであること。

「福祉用具の研究開発及び普及の促進に関する法律」に基づき、1993年開始以来、毎年公募されている歴史のある補助金です。1993年〜2017年で221件の支援を行っており、うち121件が実用化されています（実用化率約55％）。

過去に類似のものが採択されている場合は、採択されにくくなる傾向があります。過去の採択事例をよく確認してから申請すべきでしょう。

採択事例
・視覚障害者の読む能力を拡張する眼鏡型機器OTON GLASSの研究開発
株式会社オトングラス
・点字図書データ製作を大幅に効率化するソフトウェアの開発
テクノツール株式会社
・触覚フィードバック付サイボーグ義手の開発　　　　　株式会社タナック

125

42 医療拠点化

医療拠点化促進実証調査事業

我が国の優れた医療・介護・ヘルスケアの、海外拠点での事業化に向けた実証事業や、インバウンドを促進する実証事業を支援してくれる補助金です。

補助金額の上限	★★★★★	上限額なし
補助率の上限	★★★★	中小企業2／3　大企業1／2
補助事業期間（最長）	★★	1年度
中小企業向き	★★★★	企業規模に関係なく申請できますが、中小企業は補助率が優遇されています。また、①②では、コンソーシアム内に中小企業を含む取組が評価されます。
採択数	★★	1次公募：7件　2次公募：3件　合計：10件（2019年）
採択率	———	不明（2019年）

申請タイプ
【補助金】① 医療
【補助金】② 介護
【補助金】③ その他（ヘルスケア）

連携	コンソーシアム形式での申請が必須です。
法認定等	法認定は不要です。
審査方式	書類審査に加え、必要に応じて追加審査としてWEBヒアリングが行われる場合があります。
対象となる経費	人件費、事業費（旅費、会議費、謝金、借料および損料、外注費、補助員人件費、その他諸経費）、委託費

公募期間	1次公募：4月22日〜5月20日 2次公募：8月19日〜9月9日（2019年）	最新の公募要領 成長戦略データベース
問い合わせ先	経済産業省　商務・サービスグループ　ヘルスケア産業課　TEL：03-3501-1790	

医療・介護・ヘルスケアの国際展開は我が国の重点施策の１つに位置付けられています。この補助金は、我が国の医療・介護・ヘルスケアに関連する企業や医療機関などの連携による、自立的、持続的に収益が見込める国際的な事業展開を行うことを前提とした実証事業を支援の対象としています。

特定の事業者の利益のための事業や、特定の医療機器・福祉用具や医薬品等の販売、開発、輸出だけを目的とした事業、市場調査のみの事業は対象となりません。

民間企業、団体が対象ですが、事業主体はコンソーシアムを形成する事業者とされ、申請はコンソーシアム形式でのみ行えます。

コンソーシアムのメンバーは、コンソーシアムの代表者と補助事業に係る委託契約を結ぶ必要があります。

①②③（前ページ参照）のいずれかを選んで申請します。採択にあたって重視される「重視項目」がそれぞれ定められていますが、どれも、「収支計画の実現の可能性が高いこと」と「現地の企業や医療機関等との連携が進行中など、取組が既に開始されており、拠点構築（目途）の具体性があること」の２点が重視されていることがわかります。

また、それぞれ、想定される主な対象国・地域や取組手法があげられています。それに当てはまるものは評価が高くなりますが、より実効性が高い提案がある場合には、それ以外のものも認められます。（③には、対象国・地域の指定はありません。）

採択事例

①てんかん診療教育拠点設立に関する現地実証調査事業（インドネシア）
日本光電工業株式会社

①ケニア共和国に於ける日本式リハビリテーション導入実証事業（ケニア）
医療法人光心会

②南京市における高齢者地域包括ケア拠点構築プロジェクト（中国）
エフビー介護サービス株式会社

②中国における認知症ケア拠点化、認知症早期発見拠点化の事業化に関する実証調査事業（中国）　メディカル・ケア・サービス株式会社

③洗浄・消毒代行サービス事業（タイ）　東海機器工業株式会社

障害者自立支援機器

障害者自立支援機器等開発促進事業

障害当事者および医療福祉専門職等と連携して行う、障害者のニーズを反映した実用的な支援機器の開発を支援してくれる補助金です。

補助金額の上限	★★★	2,000万円
補助率の上限	★★★★	①中小企業2／3　大企業・公益法人1／2 ②中小企業10／10　大企業・公益法人1／2
補助事業期間 （最長）	★★★★★	3年度
中小企業向き	★★★★	資本金10億円未満または売上高1,000億円未満の会社が対象です。中小企業は補助率が優遇されています。
採択数	★★	9件（2019年）
採択率	———	不明（2019年）

申請タイプ
【補助金】①テーマ設定型事業
【補助金】②製品種目特定型事業

連携	事業実施においては、医療福祉専門職等や障害者との連携が必要です。
法認定等	法認定は不要です。
審査方式	書類審査に加え、必要に応じてヒアリングが行われる場合があります。
対象となる経費	直接経費（賃金、謝金、備品購入費、消耗品費、雑役務費、借料および損料、旅費、会議費、通信運搬費、印刷製本費、光熱水費）、委託費（直接経費の1／5以内）

公募期間	1次公募：3月20日〜4月19日 2次公募：5月15日〜7月1日（2019年）	最新の公募要領
問い合わせ先	厚生労働省　社会・援護局　障害保健福祉部　企画課 自立支援振興室　障害者支援機器係 TEL：03-5253-1111（内線3088・3071・3073） E-mail：syougaikiki@mhlw.go.jp	 成長戦略データベース

①テーマ設定型事業と②製品種目特定型事業の２つのうち、どちらかを選んで申請します。

　どちらも、「研究段階を終え基本設計はできているが、試作機の製作までには至っていないもの」が対象です。実用的製品化開発に要する費用を補助してもらえます。

　①では十数のテーマが設定され、そのいずれかに該当する支援機器の開発が対象ですが、かなり幅広くテーマが設定されています。障害者自身が使用する機器だけでなく、介助者が障害者のために使用する機器も対象となっています。

　一方、2019年に新設された②は、①とは別に、特に障害者のニーズが高い支援機器の製品種目が指定されています。2019年に指定されたものは、「最先端技術を使用した非埋め込み式人工喉頭」と「障害児の日常生活において両手使用を必要とする動作を支援する機器」の２つでした。

　製品化に対する障害者のニーズについて調査結果等から明らかであることや、障害者のニーズを反映したものであり、製品化により障害者の自立と社会参加の促進が期待されることが重要です。

　高額になる設備購入費が補助対象外となっているため、上限額に達するには少額の経費を積み重ねる必要があり、採択後の事務処理負担が重くなりがちなのが難点です。

採択事例
　・株式会社今仙技術研究所
　・株式会社金久保製作所
　・株式会社コンピュータサイエンス研究所
　・株式会社システムネットワーク
　・株式会社デジタリーフ
　・CYBERDYN株式会社
　・シェルエレクトロニクス株式会社
　・社会福祉法人兵庫県社会福祉事業団
　・藤田医科大学

医療機器開発推進

医療機器開発推進研究事業

AMEDの「オールジャパンでの医療機器開発プロジェクト」の1つで、医療機関と民間企業が連携して行う、早期診断・治療を可能とする革新的な医療機器の開発等を支援してくれます。

委託金額の上限	★★★★★	①1億1,700万円　②1億7,940万円　③1億1,700万円 ④2億9,900万円　⑤1億1,700万円 ※概算。年あたりの直接経費上限額に間接経費（直接経費の30％の）を加えたものに最大事業年数を乗じた。 ※③④は探索的医師主導治験・臨床研究の場合。検証的医師主導治験の場合は別途上限額。
補助率の上限	★★★★★	委託（1／1）
委託事業期間 （最長）	★★★★★	①②③⑤：3年度　④：5年度
中小企業向き	★★★	企業規模に関係なく申請できます。
採択数	★★	①3件　②0件　③3件　④2件　合計：8件（2019年）
採択率	★★	24.2%（2019年）

申請タイプ
【委託事業】①医療費適正化に資する革新的医療機器の探索的医師主導治験・臨床研究
【委託事業】②医療費適正化に資する革新的医療機器の検証的医師主導治験
【委託事業】③高齢者向けまたは在宅医療の推進に資する革新的医療機器の医師主導治験・臨床研究
【委託事業】④小児用医療機器の実用化を目指す医師主導治験・臨床研究
【委託事業】⑤既存の疾患登録システム（患者レジストリ）を活用した革新的医療機器の実用化を目指す臨床研究・医師主導治験等

連携	医療機関（臨床医）および民間企業の両者の体制参加が原則です（優先採択）。
法認定等	法認定は不要です。
審査方式	書類審査に加え、必要に応じてヒアリングが行われる場合があります。
対象となる経費	物品費、旅費、人件費・謝金、その他（研究成果発表費用、会議費、運搬費、機器リース費用、機器修理費用、印刷費、外注費、ライセンス料等）、間接経費（直接経費の30％以内）

公募期間	11月18日〜12月23日（2019年 令和2年度予算のもの） 2月15日〜3月29日（2019年 令和元年度予算のもの）
問い合わせ先	AMED（国立研究開発法人日本医療研究開発機構） 産学連携部　医療機器研究課　医療機器開発推進研究事業担当　E-mail：med-device@amed.go.jp

最新の公募要領

成長戦略データベース

医療機器分野においては、早期診断・治療を可能とする医療機器や、低侵襲性の治療により患者負荷の大幅な低減を可能とする医療機器の開発が課題とされています。

　この委託事業は、特に、手術支援ロボット・システム、人工組織・臓器、低侵襲性治療、イメージング、在宅医療機器等の重点分野や、小児疾患などのアンメットメディカルニーズに対応する医療機器について、日本で生み出された基礎研究の成果を薬機法承認につなげ、革新的な医療機器を創出することを目標としています。

　疾病の早期診断や適切な治療方法の選択、および患者負荷の大幅な低減や高い治療効果等によって医療費適正化に資する、実用化への見込みが高い研究を重点的に支援してくれます。

　最終的に事業化（製品化）を目指す研究開発を対象としているため、医療機関（臨床医）および民間企業の両者の体制参加が原則です。採択結果を見ると、代表機関として大学が名を連ねていますが、連携相手としての民間企業が必ず存在しています。

　令和2年度予算の公募では、新しく、「⑤既存の疾患登録システム（患者レジストリ）を活用した革新的医療機器の実用化を目指す臨床研究・医師主導治験等」の申請タイプが設定されました。毎年、かなり早い時期に公募が行われますので、見逃さないようにしましょう。

開発（医療・介護）

採択事例

①経静脈的ラジオ波焼灼による原発性アルドステロン症の低侵襲根治療法
国立大学法人東北大学

③革新的オンライン管理型心臓リハビリテーションシステムの医師主導治験
国立大学法人大阪大学

④脳性麻痺等の発達期非進行性運動機能障害児に対する身体運動機能の向上を目指した小児用下肢装着型治療ロボットの開発と検証的医師主導治験
国立大学法人筑波大学

途上国医療技術実用化

開発途上国・新興国等における医療技術等実用化研究事業

開発途上国・新興国等（特にタイ、インドネシア、ベトナム、マレーシア等）におけるニーズを十分に踏まえた医療機器等の研究開発を対象としたAMEDの委託事業です。

委託金額の上限	★★★★	7,475万円（初年度1,150万円＋間接経費（直接経費の30%以下）、2～3年度2,300万円＋間接経費（直接経費の30%以下））　※概算
補助率の上限	★★★★★	委託（1／1）
委託事業期間（最長）	★★★★★	3年度
中小企業向き	★★★	企業規模に関係なく申請できます。
採択数	★	2件（2019年）
採択率	★★	40.0%（2019年）

申請タイプ
【委託事業】

連携	共同申請も可能です。
法認定等	法認定は不要です。
審査方式	書類審査に加え、必要に応じてヒアリングが行われる場合があります。
対象となる経費	物品費、旅費、人件費・謝金、その他（研究成果発表費用、会議費、運搬費、機器リース費用、機器修理費用、印刷費、外注費、ライセンス料等）、間接経費（直接経費の30%以内）

公募期間	3月15日～4月23日（2019年）
問い合わせ先	AMED（国立研究開発法人日本医療研究開発機構）産学連携部　医療機器研究課 E-mail：shinko-kiki@amed.go.jp

最新の公募要領

成長戦略データベース

途上国・新興国は、日本とは異なる医療・事業環境や公衆衛生上の課題を抱えており、医療ニーズや製品に対する医療現場のニーズも日本と異なっています。こうした途上国・新興国のニーズにあわせた医療機器等の開発が公募対象です（日本国内向けを含めた先進国向け製品を、途上国・新興国のニーズに合わせて改良などを行わず、そのまま販売するものは対象外です）。

　民間企業の研究開発を行う部門・部署、研究所等が申請主体となります。

　初年度は、バイオデザイン等のデザインアプローチを採用し、医療現場における具体的な医療機器等へのニーズの把握から製品コンセプトを作成し、試作品作製、評価までの製品開発を実施します。

　これにより、製品の設計の初期段階から臨床現場のニーズを取り入れ、途上国・新興国で必要とされている製品の開発が可能となります。

　2年度目以降は、初年度に作製、評価した試作品から薬事申請に至るまでの開発を実施します。

　なお、実際に開発途上国の臨床現場で、デザインアプローチのノウハウを有する支援事業者による、製品コンセプト作成や事業化戦略策定、進捗管理等の支援を受けることができます。

　また、厚生労働省が、必要に応じて途上国・新興国の保健省や規制当局との情報交換等を実施する等を通じて、医療機器開発の加速を支援してくれます。特に中小企業にとっては大きな力となるでしょう。

　毎年、新規事業の採択は0〜2件程度が目安の狭き門ですが、ぜひ挑戦してください。

開発（医療・介護）

採択事例
・開発途上国のニーズに合わせた樹脂製簡単ワクチン投与デバイスの開発
　　　　　　　　　　　　　　　　　株式会社ライトニックス
・外傷性骨折後変形治癒症例に対するカスタムメイド治療法の研究開発
　　　　　　　　　　　　　　帝人ナカシマメディカル株式会社

産学連携医療イノベーション

産学連携医療イノベーション創出プログラム

大学等が有する「挑戦的な技術シーズ」を、医療への適用を目指す企業に戦略的に受け渡すことを目的に、研究開発、特許網構築、ビジネスプラン策定を支援してくれる制度です。

委託金額の上限	★★★★★	①1億4,820万円（4,940万円×3年） ②3,900万円（1,950万円×2年）※概算
補助率の上限	★★★★★	委託（1／1）
委託事業期間 （最長）	★★★★★	①3年度　②2年度
中小企業向き	★★★	企業規模に関係なく申請できます。
採択数	★★	①8件　②6件　合計：14件（2019年）
採択率	★	①10.3%　②8.9%（2019年）

申請タイプ
【委託事業】①ACT－M（基本スキーム） 【委託事業】②ACT－MS（セットアップスキーム）

連携	大学・研究機関等と連携して申請する必要があります。
法認定等	法認定は不要です。
審査方式	書類審査に加え、必要に応じてヒアリングが行われる場合があります。
対象となる経費	物品費、旅費、人件費・謝金、その他（研究成果発表費用、会議費、運搬費、機器リース費用、機器修理費用、印刷費、外注費、ライセンス料等）、間接経費（直接経費の30%以内）

公募期間	2月6日～3月28日（2019年）
問い合わせ先	AMED（国立研究開発法人日本医療研究開発機構） 産学連携部　産学連携課　医療分野研究成果展開事業 産学連携医療イノベーション創出プログラム事務局 E-mail：sangaku-i@amed.go.jp

最新の公募要領

成長戦略データベース

「オープンイノベーションによる革新的な新薬の研究開発」（テーマ１）と「急激な少子高齢化社会を支える革新的医療技術・医療機器の研究開発」（テーマ２）のどちらかの研究開発テーマに沿うものが対象です。テーマはずっと変わっていませんので、今後もしばらく大きく変わる可能性は低いでしょう。

　支援スキームには、①ACT-M（基本スキーム）と②ACT-MS（セットアップスキーム）の２つのスキーム（申請タイプ）があります。①は、技術シーズを有する大学等と、その実用化を目指す企業の連携で行い、産学が役割分担（連携）して研究開発をします。②は、技術シーズを有する大学等と、その利用を希望するセットアップ企業の連携で行います（そのため、研究開発費の支援対象は、大学等のみが対象です）。

　毎年、①は０〜８件、②は０〜６件の新規事業の採択が目安となっており、挑戦するグループも多いため、採択率は10％前後とかなりの高倍率ですが、共同提案機関には中小企業も散見されます。

採択事例

① （テーマ１）

　中枢神経症状を伴うガングリオシドーシスの遺伝子治療法開発

代表機関：徳島大学

共同提案機関：株式会社遺伝子治療研究所

① （テーマ２）

　緑内障のカルパイン活性化の生体内イメージングシステムの開発

代表機関：東北大学

共同提案機関：五稜化薬株式会社

② （テーマ１）

　認知症に対するHMGB1抗体医薬の創出　　代表機関：東京医科歯科大学

共同提案機関：D3合同会社

② （テーマ２）

　ロボット支援手術における熟練技術追体験型学習システム

代表機関：大阪大学

共同提案機関：株式会社計数技研／関西医科大学／京都大学

開発（医療・介護）

47 先端計測

先端計測分析技術・機器開発プログラム

日本発の革新的医療機器につながる技術・機器・システムの開発を目指す、AMEDによる委託事業です。産と学が連携し、かつ医師が参画した開発チームでの申請が必須です。

委託金額の上限	★★★★★	①7,800万円（{直接経費2,000万円＋間接経費（直接経費の30%以下）}×3年） ②2億6,000万円（{直接経費5,000万円＋間接経費（直接経費の30%以下）}×4年）　※概算
補助率の上限	★★★★★	委託（1／1）
委託事業期間 （最長）	★★★★★	①3年度　②4年度
中小企業向き	★★★	企業規模に関係なく申請できます。
採択数	★★	①7件　②2件　合計：9件（2019年）
採択率	———	不明（2019年）

申請タイプ
【委託事業】①要素技術開発タイプ 【委託事業】②機器開発タイプ

連携	産と学が連携し、かつ医師（臨床医）が参画した開発チームでの申請が必須です。
法認定等	法認定は不要です。
審査方式	書類審査に加え、必要に応じてヒアリングが行われる場合があります。
対象となる経費	物品費、旅費、人件費・謝金、その他（研究成果発表費用、会議費、運搬費、機器リース費用、機器修理費用、印刷費、外注費、ライセンス料等）、間接経費（直接経費の30%以内）

公募期間	2月1日～3月26日（2019年）
問い合わせ先	AMED（国立研究開発法人日本医療研究開発機構） 産学連携部　医療機器研究課　医療分野研究成果展開事業（先端計測分析技術・機器開発プログラム）　先端計測担当　E-mail：amed-sentan@amed.go.jp

最新の公募要領

成長戦略データベース

AMEDの「オールジャパンでの医療機器開発プロジェクト」の中の、最も初期フェーズのプログラムです。将来の医療の革新へとつながる有望な「技術シーズ」を発掘・完成させる①要素技術開発タイプと、原理実証を行うプロトタイプ機を開発する②機器開発タイプのどちらかで申請します。

　どちらのタイプにおいても、提示されたカテゴリーのいずれかに入る内容の提案が対象となります。臨床研究あるいは、データ取得を主目的とする提案は対象外です。

　2019年度に提示されたカテゴリーは下記のようになっていますが、2017年以来全く変わっていません。今後も大きく変わることはないと思われます。

＜治療・予防的介入＞「将来の革新的な治療・予防につながる技術・機器及びシステムの開発」

＜診断＞「同定されているターゲット（マーカーや症状）を測定するための診断技術・機器及びシステムの開発」

＜計測分析技術＞「今までに知られていないターゲット（マーカーや症状）を解明するための計測分析技術・機器及びシステムの開発」

　委託事業なので全額AMED負担であることに加え、間接経費も直接経費の30％と、好条件です。①は最大3年度、②は最大4年度と、長期に渡って研究の実施が可能です。

採択事例

①1450nm計測イメージングによる分子病理解析システムの開発研究
千葉大学／ディー・アール・シー株式会社

①高機能性ビニルアルコール系重合体を用いた革新的バイオ人工膵臓の開発
名古屋大学／株式会社クラレ／国立国際医療研究センター／
東京工業大学／県立広島大学

①乳房再建用人工脂肪の開発〜自家脂肪組織の再生を目指して
京都大学／グンゼ株式会社／滋賀医科大学医学部附属病院／
国立循環器病研究センター

②腎臓の構造的・機能的修復を可能にする生体コラーゲン材料を用いた新しい注入用ゲル剤の開発　　　慶應義塾大学／JSR株式会社／産業技術総合研究所

開発（医療・介護）

医療機器開発着手

医療機器等開発着手支援助成事業

ものづくり中小企業と製販企業等が連携し（または連携を前提とし）、新たに医療機器等製品の開発から販売を行う際の、本格開発に着手する前の取組みを支援してくれます。

補助金額の上限	★	500万円
補助率の上限	★★★★	2／3
補助事業期間（最長）	★★★	1年
中小企業向き	★★★★★	東京都内で事業を営む中小企業を対象とした補助金です。東京都内での創業を具体的に計画している者も申請できます。
採択数	★★	14件 ※5,6,7回の合計 ※医療機器等事業化支援助成事業との合計 （2018年）
採択率	★★★★	73.7% ※5,6,7回の合計 ※医療機器等事業化支援助成事業との合計 （2018年）

申請タイプ
【補助金】

連携	単独申請が原則です。事業実施においては連携している、または連携を前提としている必要があります。
法認定等	法認定は不要です。
審査方式	一次審査（書類審査）を通過した申請者に対して、二次審査（面接審査）が行われます。
対象となる経費	原材料・副資材費、委託・外注費

公募期間	年3回（3月頃、7月頃、11月頃）（2019年）
問い合わせ先	公益財団法人東京都中小企業振興公社　取引振興課 TEL：03-3251-7883 E-mail：iryou-josei@tokyo-kosha.or.jp

最新の公募要領

成長戦略データベース

「医療機器等」の、本格開発（初期試作に引き続く工程として、上市を目的とした新製品の試作を行う開発）に着手する前の取組み（開発の初期段階のアイディアや構想の技術検証や初期試作）が支援対象です。

　「医療機器等」には、医療機関で使用される「医療機器」の他、非医療機器（リハビリ機器等）も含まれます。

　「他企業、大学、公的試験研究機関等の社外資源を活用したものであること」が対象事業の要件になっていますが、連携体の構築は必須要件ではありません。

　しかし、この補助金を引き継ぐ、次の段階（本格開発以降）を支援する「医療機器等事業化支援助成事業」（140ページ）では連携体の構築が必須要件になっています。「医療機器等事業化支援助成事業」も狙う場合は、この補助金の申請時にも連携体を構築しておく必要があります。

　なお、この補助金に申請するには事前ヒアリングを受けることが必須条件です。また、申請予定件数が一定数を超えると受付終了となりますのでご注意ください。

採択事例

・血管内治療支援システムの事前検証及び試作　　　株式会社アールテック
・脳腫瘍のレーザー熱変性治療装置の開発試作　　　　ミズホ株式会社
・整形外科術前連動型手術支援システムの開発　　株式会社Medica Scientia
・AI動画解析によるリハビリ支援システム試作　　株式会社オレンジテクラボ
・動物用に小型化させた輸液ポンプの開発　株式会社サーランド・アイエヌイー
・高分子多糖による粘膜下注入材の開発　　　　　　BioARC株式会社
・非能動型牽引方式による運動療法装置の開発　株式会社ヒーリンクスジャパン

医療機器事業化

医療機器等事業化支援助成事業

ものづくり中小企業と製販企業等が連携して、新たに医療機器等製品の開発から販売を行うプロジェクトに対して、経費の助成とともに、ハンズオン支援をしてくれる補助金です。

補助金額の上限	★★★★	5,000万円（「医療機器等開発着手支援助成事業」で助成金を既に受領している場合は、5,000万円から同金額を除いた額）
補助率の上限	★★★★	2／3
補助事業期間（最長）	★★★★★	5年
中小企業向き	★★★★★	東京都内のものづくり中小企業と医療機器製販企業等を対象とした補助金です。
採択数	★★	14件　※5,6,7回の合計 ※医療機器等事業化支援助成事業との合計　（2018年）
採択率	★★★★	73.7%　※5,6,7回の合計 ※医療機器等事業化支援助成事業との合計　（2018年）

申請タイプ
【補助金】

連携	条件（次ページ参照）を満たす連携体を構築していることが必須です。
法認定等	法認定は不要です。
審査方式	一次審査（書類審査）および現地調査が行われ、一次審査を通過した申請者に対して、二次審査（面接審査）が行われます。
対象となる経費	開発費（原材料・副資材費、機械装置・工器具費、委託・外注費、産業財産権出願・導入費、技術指導受入れ費、PMDA等相談料及び審査手数料）、人件費（直接人件費）、販路開拓費（展示会等参加費、広告費）

公募期間	年3回（3月頃、7月頃、11月頃）（2019年）
問い合わせ先	公益財団法人東京都中小企業振興公社　取引振興課 TEL：03-3251-7883 E-mail：iryou-josei@tokyo-kosha.or.jp

最新の公募要領

成長戦略データベース

都内ものづくり中小企業と医療機器製販企業等が連携して行う、医療機器製品の開発または上市を目的として取り組む事業を支援してもらえます。

　医療機関で使用される「医療機器」の他、非医療機器（リハビリ機器等）も対象です。

　以下の条件をすべて満たす連携体を構築していることが要件です。

・申請者を含む2社以上で構成される。
・開発の主たる部分を担う都内ものづくり中小企業が含まれている。
・開発した製品につき、販路開拓を行う製販企業等が含まれている。
・構成企業の2分の1以上が、東京都内に事業所を有している。

　この補助金の前の段階（本格開発前）を支援する補助金として、「医療機器等開発着手支援助成事業」（138ページ）がありますが、それに採択されていることは、この補助金に申請する条件ではありません。

　申請者はものづくり中小企業と医療機器製販企業等のどちらでも可能です。申請時に、達成目標として「製品の完成」か「試作品の完成」を選択する必要がありますが、申請者がものづくり企業の場合は、「試作品の完成」のみになります。

　なお、この補助金に申請するには事前ヒアリングを受けることが必須条件です。また、申請予定件数が一定数を超えると受付終了となりますのでご注意ください。

開発（医療・介護）

採択事例

・難回収性血栓除去用カテーテルの新規開発　　　　　　　株式会社カテラ
・非侵襲な呼気検査用小型ガス分析装置の開発　　　株式会社C＆Vテクニクス
・免疫系精密医療用統合データシステムの構築　　　株式会社DNAチップ研究所
・歯科用小型超音波画像診断装置の開発　　　　　株式会社デントロケミカル
・小児領域用の小型皮膚バリア測定装置の開発　　　　　アルケア株式会社

AMDAP

先端医療機器アクセラレーションプロジェクト

先端医療機器の開発・事業化を、「カタライザーや専門家による指導・助言」と「助成金による開発支援」の2段階で支援してくれます。

補助金額の上限	★★★★★	6億円（3億円×2期）
補助率の上限	★★★★	2／3
補助事業期間（最長）	★★★★★	1期あたり3年度。
中小企業向き	★★★★★	東京都内のベンチャー企業等の中小企業を対象とした補助金です。
採択数	★	カタライザーや専門家による指導・助言：3件　うち助成金による開発支援：1件（2019年）
採択率	———	不明（2019年）

申請タイプ
【補助金】

連携	単独申請が原則です。
法認定等	法認定は不要です。
審査方式	一次審査（書類審査）を通過した申請者に対して、二次審査（ヒアリング審査）が行われます。
対象となる経費	物品費、旅費、人件費・謝金、その他（委託費、その他）

公募期間	5月20日～8月23日（2019年）	最新の公募要領
問い合わせ先	東京都　産業労働局　商工部　創業支援課 TEL：03-5320-4693	 成長戦略データベース

先端医療機器に関する優れたビジネスプランを有するベンチャー企業等の中小企業が支援対象です。先端医療機器とは、「医薬品、医療機器等の品質、有効性及び安全性の確保等に関する法律（医薬品医療機器等法）」で定義された医療機器（動物用を除く）を指します。

　ビジネスプランは、マーケット、技術開発、法規制、知財、体制整備（開発時、販売時）等に関する計画が含まれ、事業化の時期は本事業採択後から、おおむね10年以内のものになります。

　この補助金の一番の特徴は、採択されても助成金がもらえるとは限らないことです。採択された事業（最大3件）には、「カタライザーや専門家による指導・助言」が行われますが、「助成金による開発支援」は、その中で最も優れたビジネスプランを有する事業1件に対してのみ行われます（ただし、審査により一定以上の評価を得た案件に限ります）。

　「助成金による開発支援」の対象者の選定は、「指導・助言」の支援開始から1年6ヶ月経過後に行われます。

　見事に難関を突破した事業には、治験費用も対象となる、1期あたり最長3年・上限3億円、補助率3分の2という破格の助成が行われます。さらに、マイルストーン達成により最長2期まで支援してもらうことも可能です。

※採択事例に載せている3社の中から、「助成金による開発支援」の対象者が選ばれる予定です。

採択事例

・"電気的自律神経刺激"を用いた心筋梗塞領域縮小システムARiS
アドリアカイム株式会社

・心血管疾患に対する、乳酸測定ウェアラブルデバイスを用いた運動強度の管理システムの展開　　　株式会社グレースイメージング

・診断支援アルゴリズムを適用した集束超音波極早期乳癌治療装置の開発
株式会社 Lily MedTech

第6章

開発
(情報通信)
に関する補助金

情報バリアフリー事業助成金

情報バリアフリー通信・放送役務提供・開発推進助成金

身体上の障害がある人が通信・放送役務を円滑に利用できるようにするための、通信・放送役務の提供や開発を行う民間企業等を支援してくれます。

補助金額の上限	★★★★★	上限額なし　※交付額は平均600万円程度です。
補助率の上限	★★★	1／2
補助事業期間（最長）	★★	1年度
中小企業向き	★★★★★	民間企業としては、原則として中小企業が対象です。
採択数	★★	6件（2019年）
採択率	★★★★★	100.0%（2019年）

申請タイプ
【補助金】

連携	単独申請が原則です。
法認定等	法認定は不要です。
審査方式	書類審査のみ。
対象となる経費	機械装置等購入費、外注費・委託費、労務費、消耗品費、諸経費

公募期間	2月8日～4月5日（2019年）	最新の公募要領
問い合わせ先	総務省　情報流通行政局　情報流通振興課　情報活用支援室　TEL：03-5253-5743　E-mail：digital_divide@soumu.go.jp	成長戦略データベース

身体障害者向けのサービスを提供することが前提です。事業内容についての審査基準には、次の3点があげられています。

①有益性：提供または開発される通信・放送役務が、身体障害者の利便の増
　　　　　進に著しく寄与するものであること。
②波及性：提供または開発される通信・放送役務に関する身体障害者のニー
　　　　　ズが高く、事業実施の効果が全国的に広く及ぶものであること。
③技術の適格性：提供される通信・放送役務の内容に照らし、また技術の進
　　　　　展状況・普及状況から、効率的・効果的な技術が使用されている
　　　　　こと。

　平成13年度から続いている補助金です。毎年数件ずつの採択なので、採択率にはバラつきがありますが、全件採択に近い年も多く見られます。

採択事例

・聴覚障がい者向けライブ字幕サービス　　　　　　株式会社アイセック・ジャパン
　　聴覚障がい者のQOLを高めるためのライブ字幕サービスとして、高等教育・講演会・議会のライブ字幕に加え、ローカルTV局のライブ番組にWeb字幕を提供する。
　　字幕を見る場合は、インターネットにアクセスできる端末（PC、スマホ、タブレットなど）であれば、どこでも字幕を見ることができる。今までは、すべて人の手によって、正確な字幕提供を行ってきているが、今後はAI（音声認識）を活用したハイブリッドでの字幕提供ができるようにしていくことで、今まで以上にライブ字幕が身近な世界を実現していく。

・公的空間に配置されたICタグによる情報伝達網の提供
　　　　　　　　　　　　　　　　　　　　　　　株式会社コネクトドット
　　ICタグを公共空間に遍く配置し、情報提供者（例えばショッピング）から受信者（視覚障害者）への音声による情報伝達網を構成することにより、視覚障害者が得られる情報量を増やし、外出意欲や社会参加意欲を向上させる。視覚障害者向けのコンテンツを登録したICタグを公的空間に配備し、視覚障害者のスマホでICタグの情報を読み取り、音声で読み上げるアプリケーションを提供することで、視覚障害者に対する情報伝達を行う。

52 デジタル・ディバイド解消

情報通信利用促進支援事業費補助金

高齢者・障害者向け通信・放送サービスの充実を図るための研究および開発を行う民間企業等に対して、その研究開発資金を支援してくれる補助金です。

補助金額の上限	★★★★	3,900万円（直接経費3,000万円＋間接経費（直接経費の30%）） ※身体障害者等支援研究開発に該当するものは5,200万円（直接経費4,000万円＋間接経費（直接経費の30%））
補助率の上限	★★★	1／2
補助事業期間（最長）	★★	1年度
中小企業向き	★★★	企業規模に関係なく申請できます。
採択数	★	2件（2019年）
採択率	★★★★★	100.0%（2019年）

申請タイプ
【補助金】

連携	単独申請が原則です。
法認定等	法認定は不要です。
審査方式	書類審査に加え、必要に応じてプレゼンテーション審査やヒアリング審査が行われる場合があります。
対象となる経費	直接経費：物品費（設備備品費、消耗品費）、人件費・謝金、旅費、その他（外注費、印刷製本費、会議費、通信運搬費、光熱水料、その他（諸経費）） 間接経費（直接経費の30%以内）

公募期間	3月12日～4月12日（2019年）
問い合わせ先	総務省　情報流通行政局　情報流通振興課　情報活用支援室　TEL：03-5253-5743 E-mail：digital_divide@soumu.go.jp

最新の公募要領

成長戦略データベース

先進的な通信・放送技術の研究開発であって、その成果によって高齢者・障害者に有益な新しい通信・放送役務をもたらすもの、または、現在行われている通信・放送役務を高度化し、高齢者・障害者に有益なものとする研究開発が対象です。以下が例示されています。

ア）スマートフォン、タブレット、PC、家電等身近な機器に追加することで専用の福祉機器の機能を代替するような通信・放送技術の研究開発。
イ）年齢や視覚障害・聴覚障害・肢体不自由・精神障害・知的障害・発達障害等の障害の種別や程度にきめ細かく対応することが可能なセンサーやウェアラブル端末などの福祉機器に資するような通信・放送技術の研究開発。
ウ）健常者の利用にも資するような魅力ある福祉機器の実現に向けた通信・放送技術の研究開発。

採択事例

・ICT技術への心理的障壁を解消する対話エージェントを用いたコミュニケーションサービスの研究開発　　　　　　　近鉄ケーブルネットワーク株式会社
　　放送・通信事業者として、デジタル・ディバイドとされる高齢者などでも手軽にICTの恩恵が得られるような対話エージェントを開発し、これを搭載したロボットによる実証試験を行い、ユーザー利便性向上の実利用上の具体的課題を明確化する。利用上のサポートを行うためのサポート窓口を設置することで心理的障壁を解消し、利用意欲を向上させることで高齢者がICTデバイスを自発的に導入したくなる心理状態に移行するようなサービスの構築を目的としている。

・QRコードとマシンビジョンによる視覚障碍者の歩行誘導サービスの開発
　　　　　　　　　　　　　　　　　　プログレス・テクノロジーズ株式会社
　　地下鉄の駅構内に設置したQRコードからの情報とメガネ型ウェアラブルデバイスから得た情報をスマートフォンで統合し、クラウドサービスを利用しながら、道案内、駅構内情報、危険回避などを実現する。

開発（情報通信）

I-Challenge!
ICTイノベーション創出チャレンジプログラム

ベンチャー企業等が直面するいわゆる「死の谷」を克服させ、ICT分野におけるイノベーション創出を目指す支援制度です。事業化支援機関とのマッチングが行われるのが特長です。

補助金額の上限	★★★★	7,000万円
補助率の上限	★★★★	中小企業：2／3　大学等の公益法人等：10／10
補助事業期間（最長）	★★★	1年
中小企業向き	★★★★★	ベンチャー企業等の中小企業と大学等の公益法人等を対象とした補助金です。
採択数	★	2件（2018年）
採択率	———	不明（2019年）

申請タイプ
【補助金】

連携	事業実施においては、事業化支援機関との連携が必須です。
法認定等	法認定は不要です。
審査方式	次ページをご参照ください。
対象となる経費	直接経費：物品費（設備備品費、消耗品費）、人件費・謝金、旅費、その他（外注費、印刷製本費、会議費、通信運搬費、光熱水料、その他（諸経費））　間接経費（直接経費および委託費の合計の30％以内）、再委託費・共同実施費

公募期間	4月12日～翌3月29日（通年公募）※予算額に達した時点で終了（2018年）	最新の公募要領
問い合わせ先	総務省　国際戦略局　技術政策課 TEL：03-5253-5727 E-mail：challenge-ict@ml.soumu.go.jp	成長戦略データベース

ICTそのものの技術や、農業、医療、交通、教育などの異分野とICTとの融合など、非常に幅広い技術開発を支援してもらえます。社会へ大きなインパクトをもたらす可能性を持つ、革新的な技術やアイディアを活用した新事業の創出を目指し概念検証に取り組む技術開発が対象です。

　対象分野が広く、補助金額が大きく、複数年度の継続申請が可能であり、随時募集しているなど、良い所ずくめの補助金です。競争率は相当高いと思われますが、挑戦する価値はあるでしょう。

　1次審査を通過すると、ベンチャーキャピタル等の事業化支援機関とのマッチングが行われ、マッチングが成立したら2次審査に進み、それを通過してやっと採択となります。手続きが多く、書類も相当多くなります。

　技術の革新性のみならず、事業の将来性が大きな審査ポイントとなっています。事業化支援機関は、「ビジネスとして成立するか」をしっかりと見てきます。事業化支援機関が手を上げなければ、そこで失格となります。実質的には、1次審査よりも、その後のマッチングで成功するかどうかの方がハードルが高いとも言えます。ビジネスモデルをしっかりと描くことが重要です。

採択事例

・技術開発課題名：在宅で測定観測できるクラウド型胎児モニタリングシステム
　補助事業名：シート状IoTセンサと連携するクラウド型胎児モニタの開発
　　　　　　　　　　　　　研究開発機関：株式会社クラウドセンス
　　　　　　　　　　　　　事業化支援機関：一般社団法人MAKOTO
・技術開発課題名：血圧常時測定システムを活用したサービスの開発
　補助事業名：ウェアラブルデバイスと機械学習による血圧常時測定システムの開発
　　　　　　　　　　　　　研究開発機関：株式会社Arblet
　　　　　　　　　　　　　事業化支援機関：株式会社日本医療機器開発機構

開発（情報通信）

第 7 章

開発（建築）
に関する補助金

住宅イノベーション

住宅生産技術イノベーション促進事業

住宅・建築物の設計・施工・維持管理等に係る生産性向上に資する新技術・サービスの開発・実証等を、共同で行おうとする民間事業者を支援してくれる補助金です。

補助金額の上限	★★★★	5,000万円
補助率の上限	★★★	1／2
補助事業期間（最長）	★★★★★	3年度
中小企業向き	★★★	企業規模に関係なく申請できます。
採択数	★	5件（2019年）
採択率	★★★★	71.4%（2019年）

申請タイプ
【補助金】

連携	連携しての申請は必須ですが、連携相手の指定はありません。
法認定等	法認定は不要です。
審査方式	一次審査（書類審査）を通過した申請者に対して、二次審査（ヒアリング審査）が行われます。
対象となる経費	消耗品費、旅費、謝金、賃金、役務費、委託費、設備備品費、その他

公募期間	4月22日～5月24日（2019年）	最新の公募要領
問い合わせ先	国土交通省　住宅局　住宅生産課 TEL：03-5253-8111（内線39-435・39-471）	 成長戦略データベース

　「共同技術開発契約を締結して技術開発を行おうとする者」が対象ですので、単独での申請はできません。また、技術開発等の成果の実用化・市場化を目的としている補助金なので、構成員に、実用化・市場化を担う企業等が含まれていることが原則です。共同技術開発契約を結ぶのは、採択されてからでも構いません。

　技術開発等のテーマがいくつか提示されますので、その中の1つを選んで申請します。

　2019年公募のテーマは、以下の4つでした。今後も大きくは変わらないと思われます。幅広く一般的なテーマですので、どれかに当てはめることは容易でしょう。

⑴ 住宅・建築物の設計業務に関する技術開発等

⑵ 住宅・建築物の施工業務に関する技術開発等

⑶ 住宅・建築物の維持管理業務に関する技術開発等

⑷ その他の住宅・建築分野における生産性向上に資する技術開発等

　申請書の他に、パワーポイントによる補足説明資料の提出が求められます。写真や図表などを使い、具体的にかつ分かりやすく説明するようにしましょう。

採択事例

・次世代優良住宅耐震システムの開発
　　　　　一般社団法人工務店フォーラム／白山工業株式会社／株式会社益母建設

・木造屋根の耐久性・施工性向上のための防水・通気工法の開発
　　　　　一般社団法人き塾／株式会社ナガイ／株式会社藤島建設

・ストック中古流通拡大へ向けた既存住宅の活用の為の構造判定システムの開発
　　　　　ハラサワホーム株式会社／東京電機大学／前橋工科大学

・高減衰ハイブリッドスチール建築システムの開発と生産システムの合理化
　　　　　株式会社MDI／アルキテック株式会社／早稲田大学

55 住まい環境整備モデル事業
全国
人生100年時代を支える住まい環境整備モデル事業

高齢者、障害者、子育て世帯など誰もが安心して暮らせる住環境の整備を促進する、民間事業者の先導的な取り組みを支援してくれる補助金です。

補助金額の上限	★★★★★	①②３億円　③500万円
補助率の上限	★★★★	建設工事費（建設・取得）１／10、改修工事費２／３、技術の検証費２／３ 等
補助事業期間（最長）	★★★★★	５年度
中小企業向き	★★★	企業規模に関係なく申請できます。
採択数	★★	第１回：８件　第２回：11件　合計：19件（2019年）
採択率	★★★	第１回：50.0%　第２回：40.7%（2019年）

申請タイプ
【補助金】①課題設定型
【補助金】②事業者提案型
【補助金】③事業育成型

連携	共同申請も可能です。
法認定等	法認定は不要です。
審査方式	書類審査に加え、提案者による５分程度の説明、５分程度の質疑応答のプレゼンテーション審査が行われます。
対象となる経費	調査設計計画に要する費用、住宅等の整備に要する費用、技術の検証に要する費用、情報提供および普及に要する費用

公募期間	５月22日〜９月30日　第１回締切７月16日　第２回締切９月30日（2019年）
問い合わせ先	国土交通省　住宅局　安心居住推進課　TEL：03-5253-8952

最新の公募要領

成長戦略データベース

　長く続いていた「スマートウェルネス住宅推進等モデル事業」が2019年に名称を変え、新しくなった補助金で、新たな技術やシステムの導入をする事業、または、多様な世帯の互助や交流の促進に資する事業を対象としています。

　①課題設定型、②事業者提案型、③事業育成型の３つの申請タイプに分かれており、①と②は住宅等の整備を実施することが原則です。③は、補助事業完了後、①または②に申請することが原則で、①または②の前段階として行うものです。（ただし、③の実施は、①や②への申請の必須要件ではありません。）

　単独申請の場合は建築主が申請者となりますが、共同申請の場合は建築主と他事業者の申請の他、建築主以外の複数事業者による申請も可能です。建築主が申請者に含まれない場合は、必要に応じて契約等を結び精算する形になります。

　交付決定後、年度内に着手する事業が対象です。年度内に補助事業が完了しないものは、複数年度にわたって実施するものとして、補助事業の期間を事業終了まで見込んだ計画で申請することになります。ただし、予算の関係上、次年度以降の補助金の支払いが約束されるものではない点にご注意ください。

採択事例

・世代間共助の生まれる宅老所でみんなの居場所作り

有限会社オールフォアワン

・共生型多機能リハビリケアセンター創設事業　　　株式会社QOLサービス

・サツキPROJECT　西日本豪雨で被災したアパートを地域の防災拠点住宅に再生する　　　　　　　　　　　　　　　　　　　　　　三喜株式会社

・単身高齢者と外国人介護士が支えあって暮らすシェアハウス

有限会社西都ハウジング

・入居者自宅のシェアハウス化支援付き生活支援サービス施設

株式会社ハピネスランズ

・介護・福祉・医療に携わる担い手創出の住環境モデルの提案　　株式会社石弥

CLT活用建築物等実証事業

CLTを活用した先駆的な建築物の建設等支援事業等

CLT（直交集成板）を活用した、建築物の建築・設計・部材の性能実証等を支援してくれる補助金です。部分的なCLT利用や工作物等の建築も対象になります。

補助金額の上限	★★★★★	上限額なし　※ただし3,000万円程度が目安。
補助率の上限	★	3／10（特例として認められた場合は1／2）
補助事業期間（最長）	★★	1年度
中小企業向き	★★★	企業規模に関係なく申請できます。
採択数	★	第1回：3件　第2回：2件　合計：5件（2019年）
採択率	★★★★★	第1回：100.0%　第2回：100.0%（2019年）

申請タイプ
【補助金】

連携	建築主等と協議会運営者の共同申請に限られます（建築主等と協議会運営者が同じ場合は単独申請）。
法認定等	法認定は不要です。
審査方式	書類審査に加え、必要に応じて追加資料の要求やヒアリング等が行われる場合があります。
対象となる経費	【実証事業費として】需用費（実証事業を実施するために必要となる材料費、消耗品費等の経費）、役務費、使用料および賃借料 【協議会運営費として】技術者給、旅費、需用費（実証事業を実施するために必要となる協議会開催に伴う印刷費、消耗品等）、役務費、使用料および賃借料

公募期間	第1回：4月26日～6月6日 第2回：6月17日～7月30日（2019年）
問い合わせ先	農林水産省　林野庁　林政部　木材産業課　木材製品技術室　木材技術班　TEL：03-6744-2294

最新の公募要領

成長戦略データベース

実証する内容が明確であり、かつRC造など他構造とのコスト比較を行う事業が対象です。建築物の主要用途が一戸建ての住宅は対象外です。

申請は、建築主等と協議会運営者の共同申請で行ない、実証する内容を協議会によって検討する必要があります。「協議会」とは、提案する建築物等の建築に向けて、コスト縮減や普及といった課題の解決に取り組むために必要な関係者が集まる場のことです。協議会の形態は特に指定はなく、法人や任意団体である必要はありません。

補助事業期間は短いですが、実証する内容が終了していれば、期日までに建築物が竣工する必要はありません。

４階以上または延べ面積1,000㎡以上、またはそれ以外であっても特に優れた技術的工夫が見られる等の、事務局に認められた申請には、２分の１の補助率が特例として適用されます。

なお、実証事業実施中に、CLT等の普及のために、建て方見学会や完成見学会等を実施することも要件の１つになっています。

採択事例

・事務所ビル新築工事の建築設計実証   有限会社TMK

８階建事務所ビルの設計に際して新しい合成耐火木造の開発を行う。今回開発する構造材（床、柱）はRCとCLTとの合成構造であり、耐火性能をRCで負担することで木材を表しで使用でき、RCと木を適材適所に用いた構法である。

・ミヨシ産業広島営業所新築工事の設計実証および建築実証

株式会社ミヨシ産業

建材販売会社営業所の倉庫棟をCLT告示ルート２、事務所棟を木造仕様規定に基づいて設計を行う。それぞれの建物において、特に比較的薄い90mm以下のCLTについて要求条件に合わせた様々な利活用を展開し特性を生かす方法を提案する。協議会において接合部納まりとストレストスキンパネルの実用的な仕様について議論し、汎用性やコストを検討する。実証建築物の建築費は、同規模のＳ造建物と比較検証する。

第8章

開発
（農林水産）
に関する補助金

食品産業イノベーション

食品産業イノベーション推進事業

食品製造業界の先進的な取組事例となるロボット化、ICT・AI活用などの設備導入コストや、製造ラインの改善を通じた生産性向上のためのコンサルティング費用を補助してくれます。

補助金額の上限	★★★	①－A：1800万円（リースの場合：900万円） ①－B：500万円(リースの場合：250万円)　②500万円
補助率の上限	★★★	①1／2　②定額
補助事業期間 （最長）	★★	1年度
中小企業向き	★★★	企業規模に関係なく申請できます。
採択数	★★	①－A：6件　①－B：2件　②：6件 合計：14件（2019年）
採択率	———	不明（2019年）

申請タイプ
【補助金】①－A：革新的技術活用実証事業（事業者タイプ）
【補助金】①－B：革新的技術活用実証事業（共同実証タイプ）
【補助金】②業種別業務最適化実証事業

連携	共同申請も可能です。
法認定等	法認定は不要です。
審査方式	一次審査（書類審査）を通過した申請者に対して、二次審査（プレゼンテーション）が行われます。
対象となる経費	①ロボット、AI、IoT等の技術を活用した設備や機器、システム等の費用及びそれらの導入に係る費用等、エンジニア経費等 ②コンサルティング費用等

公募期間	5月24日〜7月12日（2019年）
問い合わせ先	農林水産省　食料産業局　食品製造課 TEL：03-6744-7180

最新の公募要領

成長戦略データベース

①－A、①－B、②の３つの申請タイプに分かれています。①－Aと①－Bは、設備導入を伴うもの、②は、設備導入を伴わないものですが、どちらも、労働生産性が３％以上向上する計画が対象です。

①－A（事業者タイプ）は、食品産業事業者がロボット、AI、IoT等の技術を活用した設備や機器、システム等を導入し、生産性を向上させ、検証しようとする取組、①－B（共同実証タイプ）は、食品産業事業者を中心に情報関連企業、機械メーカー、公的研究機関等の関係事業者により共同実証グループ（協議会）を組成し、既存の技術や機器を活用してロボット、AI、IoT等の技術を活用した新たなシステム・設備を構築し、生産性を向上させ、検証しようとする取組を支援してくれます。

②は、専門家の工場診断や改善指導によって業務の最適化や人材育成を図る取組を通じて生産性向上を図る計画を支援してくれます。

採択された企業が行う補助事業によって、他の企業や他の分野への波及効果が見込めるものであることが重要視されており、そのため、生産性向上効果や投資額に対する費用効果など、積極的な情報公開を行うことができることが要件となっています。

①の申請タイプの名称は「革新的技術活用実証事業」となっていますが、技術自体の革新性を問うものではなく、業種・事業規模においてはその技術の活用例がないような取組で、他業種では当たり前の設備導入の事例であっても食品製造業においてあまり普及していない取組であれば対象範囲になると説明されています。

なお、公募要領の最後に詳細な公募審査基準が記載されていますので、必ず参考にしましょう。

採択事例

①－A：株式会社高浜（宮城県塩釜市）
　　　　株式会社トミイチ（北海道旭川市）
　　　　株式会社Opex（東京都港区）
①－B：株式会社ジョイアス・フーズ（埼玉県児玉郡）
②　　：株式会社恵那川上屋（岐阜県恵那市）
　　　　株式会社大和（石川県小松市）

農林水産イノベーション

イノベーション創出強化研究推進事業

農林水産・食品分野における革新的な技術・商品・サービスを生み出す研究開発を、基礎から実用化段階まで継ぎ目なく支援してくれる、提案公募型委託事業です。

補助金額の上限	★★★★	①②③9,000万円（3,000万円×3年） ※「知」の集積と活用の場からの提案は1億5,000万円（5,000万円×3年） ※③において「知」の集積と活用の場からの提案でマッチングファンド方式適用の場合は、7億5,000万円（1億5,000万円×5年） ※③において育種研究は1億5,000万円（3,000万円×5年）
補助率の上限	★★★★★	委託（1／1） ※マッチングファンド方式の場合は、実質2／3
補助事業期間 （最長）	★★★★★	①②③3年度 ※③の育種研究および③において「知」の集積と活用の場からの提案でマッチングファンド方式適用は5年度
中小企業向き	★★★	企業規模に関係なく申請できます。
採択数	★★★	①基礎研究ステージ：8件　②応用研究ステージ：10件 ③開発研究ステージ：12件　合計：30件　（2019年）
採択率	★	①基礎研究ステージ：8.3%　②応用研究ステージ：11.1% ③開発研究ステージ：22.2%　合計：12.5%　（2019年）

申請タイプ
【委託事業】①基礎研究ステージ　　【委託事業】②応用研究ステージ 【委託事業】③開発研究ステージ

連携	「「知」の集積と活用の場からの提案への優遇」を受ける場合は、コンソーシアムによる申請が必須です。
法認定等	法認定は不要です。
審査方式	一次審査（書類審査）を通過した申請者に対して、二次審査（面接審査）が行われます。
対象となる経費	直接経費（物品費、人件費・謝金、旅費、その他）、間接経費（直接経費の30%以内）

公募期間	1月6日～2月4日（2020年）
問い合わせ先	農林水産省　農林水産技術会議事務局　研究推進課 TEL：03-3502-5530

最新の公募要領

成長戦略データベース

申請タイプは、フェーズごとに①基礎研究、②応用研究、③開発研究の3つのステージに分かれていて、それぞれ要件や審査項目が異なります。

　この委託事業の大きな特徴は、2つあります。1つ目は、「「知」の集積と活用の場」からの提案が、必須条件ではないにしろ、かなり優遇されていることです。「「知」の集積と活用の場」とは、農林水産省が提唱する研究開発プラットフォームです。

　優遇内容は、上限額の拡大、研究期間の延長（開発研究ステージのみ）、審査時の加点等です。この委託事業がかなり人気の高い事業である（2019年の採択率は10％程度）ことを考えると、「「知」の集積と活用の場」からの提案でないものは、かなり不利であることが窺えます。

　2つ目は、新たな商品、便益の開発を行う民間企業等が参加する場合、②においては、マッチングファンド方式を選択することが可能（選択すると加点あり）、③においては、マッチングファンド方式が必ず適用されることです。ここでいうマッチングファンド方式とは、国が出す費用の2分の1をその民間企業が負担するものです。

　なお、同年度に公募される「農林水産研究推進事業」で指定される研究課題と同じものは審査の対象から除外されるため、予め確認が必要です。また、それ以外にも、他府省の事業を含め現在実施中の研究課題との重複の有無も採択の判断材料となりますので、重複がないことをウェブサイト等により確認しましょう。

採択事例

①世界初！樹（き）から造る「木の酒」の開発　　　　　森林研究・整備機構
②キク生産における芽摘み作業の省力化技術の開発　　イノチオアグリ株式会社
③雑穀需要に応える短稈・多収アワ品種の育成と機械栽培体系の確立
　　　　　　　　　　　　　　　　　　　　　　　　岩手県農業研究センター

生産、加工・流通、販売の各段階の事業者による各々の取組を組み合わせた、水産物流通のバリューチェーンの生産性を改善する連携プロジェクトを支援してくれる補助金です。

補助金額の上限	★★★★★	上限額なし
補助率の上限	★★★	①定額 ②1／2 ③1／2
補助事業期間（最長）	★★	1年度
中小企業向き	★★★	企業規模に関係なく申請できます。
採択数	★★	8件（2019年）
採択率	———	不明（2019年）

申請タイプ
【補助金】①バリューチェーン改善検討事業 【補助金】②バリューチェーン改善システム構築事業 【補助金】③バリューチェーン改善実証事業 ※1つの申請の中で①②③のすべてを行うのが原則。

連携	複数の民間団体等が本事業実施のために組織した任意団体による申請、または複数の民間団体等による共同申請になります。
法認定等	法認定は不要です。
審査方式	書類審査のみ。
対象となる経費	①人件費、賃金、消耗品費、旅費、謝金、役務費、委託費、その他 ②備品費、消耗品費、役務費、委託費、施設・設備の賃借経費、その他 ③人件費、賃金、設備費、備品費、消耗品費、旅費、役務費、委託費、加工原料買取代金の金利、加工経費、保管経費、運送経費、施設・設備の賃借経費、その他

公募期間	1次公募：2月6日〜2月27日　2次公募：4月26日〜5月31日　3次公募：7月16日〜8月23日　4次公募：9月24日〜10月8日（2019年）	最新の公募要領 成長戦略データベース
問い合わせ先	農林水産省　水産庁　漁政部　加工流通課　調整班 TEL：03-3502-8111（内線6616）	

　申請は、複数の民間団体等が本事業実施のために組織した任意団体による申請、または複数の民間団体等による共同申請に限られます。

　どちらの申請形態であっても、生産、加工・流通、販売の各段階から1社以上の民間事業者の参加（つまり3社以上の連携）が必須です。

　公募要領には、生産、加工・流通、販売の各段階に取組例が列挙されており、それらを組み合わせた計画を作成します。特に、販売段階の取組（消費者向けプロモーションの実施、外食・中食等での新メニューの開発等）の実施は必須要件になっています。

　支援は、下記の3つの事業に分かれています。3つのどれかを選んで申請するのではなく、1つの申請の中で原則3つのすべてを行い、目的を達成させます。

①バリューチェーン改善検討事業

・バリューチェーン改善協議会の運営

・連携体制の強化、取組計画の深化および新技術・システム等の導入にかかる調査・検討

・バリューチェーン改善協議会による取組の効果等の測定・検討

②バリューチェーン改善システム構築事業

・電子システムを構築する情報通信機器等の賃借

・その他、本事業の取組に必要な備品等の購入・賃借

③バリューチェーン改善実証事業

・電子システムの試験的導入等により、取組の効果・持続可能性を実証し、事業実施主体による自律的な活動に円滑に移行させる

　採択事例

　・青森県ベニズワイガニ連携協議会

　・気仙沼メカジキ生食普及協議会

　・JFバリューチェーン検討協議会

　・長崎地域かまぼこバリューチェーン改善協議会

　・活魚流通構築推進協議会

　・バスあいのり水産バリューチェーン改善促進協議会

　・西日本地区バリューチェーン流通改善協議会

第9章

開発
(その他)
に関する補助金

60 JAPANブランド

JAPANブランド育成支援等事業費補助金

全国

全国展開や海外展開、インバウンド需要の獲得のために行う、新商品・サービス開発や販路開拓・ブランディング等の取組を支援してくれる補助金です。

補助金額の上限	★★★	①1,500万円（500万円×3年）
補助率の上限	★★★★	1〜2年目：2／3　3年目：1／2
補助事業期間（最長）	★★★★★	3年度
中小企業向き	★★★★★	中小企業を主な対象とした補助金です。
採択数	★★★	48件（2019年）
採択率	★★	27.0%（2019年）

申請タイプ
【補助金】① 全国・海外展開等事業
【補助金】② 全国・海外展開等サポート事業　※支援機関向けのため省略

連携	①共同申請も可能です。②単独申請が原則です。
法認定等	法認定は不要です。
審査方式	書類審査のみ。
対象となる経費	事業費（謝金、旅費、借損料、通訳・翻訳費、マーケティング調査費、通信運搬費、雑役務費、産業財産権等取得費、展示会等出展費、広報費、会議費、委託費等）、試作品等開発費（借損料、原材料等費、機器・設備等費、設計・デザイン費、委託費等）

公募期間	2月25日〜3月25日（2020年）
問い合わせ先	経済産業省　中小企業庁　経営支援部　創業・新事業促進課　TEL：03-3501-1767（直通）

最新の公募要領

成長戦略データベース

十数年以上続いている息の長い補助金で、補助金の名称は変わっていませんが、内容は変遷を重ねて来ています。2020年には、以前の「国内・海外販路開拓強化支援事業費補助金（地域産業資源活用事業、農商工等連携事業、小売業者等連携支援事業）」がこの補助金に統合されました。過去にこれらの補助金に採択されている場合は制限がありますのでご注意ください。

この補助金の申請タイプの②は支援機関向けの補助金ですので、ここでは、中小企業が使える①についてご紹介しましょう。

市場ニーズを捉えながら優れた素材や技術等を活かした製品やサービスの魅力を高め、国内さらには海外のマーケットで通用する商品力・ブランド力の確立やインバウンド需要の獲得のため、市場調査、専門家招聘、新商品・デザイン開発及び評価、展示会出展等を実施する事業が支援の対象です。試作品のテスト販売も補助対象とすることができます（収入が発生した場合にはその収入を差し引いて補助対象経費を算出する必要あり）。

以前は4者以上の連携による申請が必須でしたが、2020年からは単独申請や、3者以下の連携による申請も可能となりました。連携体での共同申請の場合は、上限額は1社ごとに500万円嵩上げされ、最大4社で2,000万円となります（5社以上であっても2,000万円）。

連携体で申請をする場合は、連携体を代表して事務および経理処理を担う代表申請者（中小企業者に限る）を定める必要があります。連携体のメンバーが大企業やみなし大企業である場合には、それらの大企業、みなし大企業に係る経費は補助対象にはなりませんのでご注意ください。

採択事例　※タイトル一部省略
・高岡発のインターナショナルブランド「KANAYA」を作り上げ、国内外マーケットにおいて流通拡大を目指す。　　　　　　高岡銅器協同組合（富山県）
・香港・上海のレストラン等の外食産業及び流通業者との協力を深め、鹿児島県産食材のアジアでの浸透を図る。　　　　鹿児島県商工会連合会（鹿児島県）
・宮城県石巻市の水産加工業6社が連携し、統一ブランド「日高見の国」を創設。
　　　　　　　　　　　　　　　　　　　　　末永海産株式会社（宮城県）
・両毛産地の繊維事業者が連携し、最新トレンドに合わせた新たなシルク素材を開発。　　　　　　　　　　　　　　有限会社小池経編染工所（栃木県）

伝統的工芸品支援
伝統的工芸品産業支援補助金

伝産法の各種計画の認定を受けた事業を支援してくれる補助金です。伝産法に基づき経済産業大臣が指定した「伝統的工芸品」の保護を目的としています。

補助金額の上限	★★★	2,000万円
補助率の上限	★★★★	2／3（一部1／2）
補助事業期間（最長）	★★	1年度
中小企業向き	★★★	企業規模に関係なく申請できます。
採択数	★★★★	98件（2019年）
採択率	———	不明（2019年）

申請タイプ
【補助金】①活性化計画（第9条）に基づく事業（活性化事業）
【補助金】②連携活性化計画（第11条）に基づく事業（連携活性化事業）、他

連携	②は連携による申請が必須です。
法認定等	伝産法（伝統的工芸品産業の振興に関する法律）の各種計画の認定が必要です。
審査方式	書類審査のみ。
対象となる経費	企画会議費、展示会開催等事前準備費、展示会開催等事業費、展示会等成果検討費、新商品開発費、求評会開催等事業費、求評会等成果検討費、等

公募期間	1月9日～2月14日（2020年）
問い合わせ先	経済産業省　製造産業局　生活製品課　伝統的工芸品産業室　TEL：03-3501-3544（直通）

最新の公募要領

成長戦略データベース

伝産法（伝統的工芸品産業の振興に関する法律）によって指定されている「伝統的工芸品」は、2020年1月現在、全国で235品目にのぼっています。例えば、東京都においては、以下の18品目が指定されています。

> 　村山大島紬、東京染小紋、本場黄八丈、江戸木目込人形、東京銀器、東京手描友禅、多摩織、江戸和竿、江戸指物、江戸からかみ、江戸切子、江戸節句人形、江戸木版画、江戸硝子、江戸べっ甲、東京アンチモニー工芸品、東京無地染、江戸押絵

　補助金に申請するためには、各種計画の認定を受けなければなりませんが、認定のための申請は、補助金の申請の1ヶ月前までに行えばいいことになっています。

　対象となる事業には、5種の計画に基づく11の事業があげられていますが、中小製造業者が比較的活用しやすい事業は、①活性化計画（第9条）に基づく事業（活性化事業）と②連携活性化計画（第11条）に基づく事業（連携活性化事業）の2つでしょう。

　①は、「製造事業者またはそのグループ、および製造協同組合等」による、伝統的工芸品産業の活性化を目的とした事業（後継者育成事業、技術・技法の改善事業、原材料の調査研究事業、需要開拓事業（海外展開を含む）、新商品開発事業、情報発信事業等）が対象です。

　②は①の事業を、他の伝統的工芸品の製造事業者や他の業種の事業者等と共同して事業を行うものが対象となっています。

採択事例　※民間企業を選択

- 及源鋳造株式会社
- 株式会社DelicesdeMami
- 株式会社ニッポン手仕事図鑑
- 株式会社大黒屋仏壇店
- 有限会社ミランティジャパン
- 株式会社ウチキ
- 株式会社小堀
- 株式会社こしき
- 有限会社丸嘉小坂漆器店
- 株式会社ファストコム
- 有限会社モメンタムファクトリー・Orii
- 株式会社日本ヴォーグ社
- アンドウ株式会社
- 有限会社久山染工

宇宙産業（部品軌道実証）

産業技術実用化開発事業費補助金（宇宙産業技術情報基盤整備研究開発事業）

中小・ベンチャー企業等の民生分野の優れた技術を活用した部品・コンポーネントを搭載した、小型衛星での軌道上実証を支援してくれる補助金です。

補助金額の上限	★★★★★	上限額なし
補助率の上限	★★★★	中小企業2／3　大企業1／2
補助事業期間（最長）	★★★★★	3年度
中小企業向き	★★★★	企業規模に関係なく申請できますが、中小企業は補助率が優遇されています。
採択数	★	3件（2019年）
採択率	———	不明（2019年）

申請タイプ
【補助金】

連携	共同申請も可能です。
法認定等	法認定は不要です。
審査方式	書類審査に加え、面談審査が行われます。
対象となる経費	人件費（研究者人件費、補助員人件費　等）、事業費（旅費、会議費、備品・消耗品費、印刷製本費、システム費、製造委託費、軌道投入にかかる外注費　等）、設備・設計・工事費（機器設置工事費、改修設計費　等）

公募期間	5月24日〜6月14日（2019年）
問い合わせ先	経済産業省　製造産業局　宇宙産業室 TEL：03-3501-0973 E-mail：spacecraft@meti.go.jp

最新の公募要領

成長戦略データベース

宇宙用部品・コンポーネントの市場参入には宇宙空間における稼働実績が不可欠となっていますが、中小・ベンチャー企業等にとって軌道上実証は負担が大きいのが実情です。

　この補助金はそのような中小・ベンチャー企業等を支援し、低価格、高性能な宇宙用部品・コンポーネントのサプライチェーンを構築することを目的としています。

　民生分野の優れた技術を活用した宇宙用部品・コンポーネントの製造事業者による部品・コンポーネントの軌道上における実証事業が対象です（その他にも諸要件が設定されています）。

　事業の実施には、他事業者や小型衛星システムインテグレータ等との一体的な活動、協力体制が必要となるため、コンソーシアムによる申請や共同申請も可能です。その際の申請主体は、補助事業経費の直接負担者か、補助事業で購入する資産の所有者のどちらかとなります。

　事業期間は最長3年度まで認められます。その場合、年度ごとの実施事項とスケジュールとが含まれた事業計画で申請します。ただし、翌年度以後の交付決定が保証されているわけではなく、毎年度交付申請を行い、交付決定を受ける必要がありますのでご注意ください。

採択事例

・超小型衛星の実用化・高度化のための光学系・通信系の実証
　　　　　　　　　　　　　　原田精機株式会社／株式会社アドニクス
・EDT（導電性テザー）を用いた軌道離脱装置開発事業　　　株式会社ALE
・TRICOM衛星による超小型推進系・通信装置及び軌道上高度情報処理技術の
　実証事業　　　　　　　　　　　　　　　　株式会社スペースエッジラボ

宇宙産業（部品開発）

ベンチャー企業等による宇宙用部品・コンポーネント開発助成

潜在的技術シーズを基にした人工衛星等の宇宙用部品・コンポーネントの、実用化に向けた研究開発を支援してくれる補助金です。

補助金額の上限	★★★★	4,000万円（2,000万円×2年）
補助率の上限	★★★★	2／3
補助事業期間（最長）	★★★★	2年度
中小企業向き	★★★★★	中小企業と中堅企業（売上高1,000億円未満または従業員1,000人未満）を対象とした補助金です。
採択数	★★	6件（2018年）
採択率	★★★	54.5%（2018年）

申請タイプ
【補助金】

連携	共同申請も可能です。
法認定等	法認定は不要です。
審査方式	一次審査（書類審査）を通過した申請者に対して、二次審査（プレゼンテーション審査）が行われます。
対象となる経費	機械装置費等（土木・建築工事費、機械装置等製作・購入費、保守・改造修理費）、労務費（研究員費、補助員費）、その他経費（消耗品費、旅費、外注費、諸経費）、委託費・共同研究費（50%未満）

公募期間	3月8日〜4月16日（2018年）
問い合わせ先	NEDO（国立研究開発法人新エネルギー・産業技術総合開発機構）　イノベーション推進部　プラットフォームグループ　TEL：044-520-5175

最新の公募要領

成長戦略データベース

この補助金の対象となる事業の主な要件は以下の３点です。
・人工衛星等の宇宙用部品・コンポーネント開発に関する技術開発。
・事業期間終了後、概ね３年以内に実用化が可能な具体的な計画。
・研究開発内容に新規性、研究開発要素があること。

　また、想定される技術分野の例として、以下があげられています。
バス／ミッション系機器等
・推進系（スラスタ等）、姿勢制御系（角度センサ等）、通信系（送受信機等）、
　電源／バッテリー系、構造・熱制御系、映像系（カメラ、レンズ等）、そ
　の他人工衛星等の宇宙用部品・コンポーネント全般

　共同申請や大学・公的機関との共同研究も可能です。共同申請の場合、代
表申請者が補助対象費用の50％以上を計上しなくてはなりません。共同研究
の場合は、大学や公的研究機関と共同研究契約等を結び、「委託費・共同研
究費」をそれらが行う研究開発の経費に充てます。

採択事例
・超高温環境で使用可能な長尺・柔靭のIr系熱電対の開発　　　　株式会社C&A
・新規アライメント機構部品の開発　　　　　　スーパーレジン工業株式会社
・超小型衛星用姿勢測定コンポーネントの研究開発　　StrayCats'Lab株式会社
・宇宙用部品(クローズドループ式光ファイバジャイロによる慣性基準装置)開発
　　　　　　　　　　　　　　　　　　　　　　　　　　多摩川精機株式会社
・液晶セルベースの可変波長フィルタとピント調整コンポの実用化
　　　　　　　　　　　　　　　　　　　　　　　　　　株式会社ジェネシア
・低毒性推進剤を用いた超小型衛星搭載用一液式スラスターの開発
　　　　　　　　　　　　　　　株式会社由紀精密／高砂電気工業株式会社

64 ドローン基盤技術

全国

安全安心なドローン基盤技術開発

ドローンの標準機体設計・開発やフライトコントローラーの標準基盤設計・開発と、ドローン機体等の量産化に向けた取組を、一体として支援してくれる補助金です。

補助金額・委託金額の上限	★★★★★	15億6,800万円（①9億6,800万円＋②6億円）
補助率の上限	★★★★★	①委託（1／1） ②中堅・中小・ベンチャー企業：2／3　大企業：1／2
補助事業期間・委託事業期間（最長）	★★	1年度
中小企業向き	★★★★	企業規模に関係なく申請できますが、②では、中堅・中小・ベンチャー企業は補助率が優遇されています。
採択数	★	0〜5件（2020年予想）
採択率	———	未定（2020年）

申請タイプ
【委託事業】研究開発項目① 【補助金】研究開発項目② ※①と②の両方に申請することが必須。

連携	共同申請も可能です。
法認定等	①では、「ワーク・ライフ・バランス等推進企業」に関する認定を受けていると加点されます。
審査方式	書類審査に加え、必要に応じてヒアリングが行われる場合があります。
対象となる経費	機械装置費等（土木・建築工事費、機械装置等製作・購入費、保守・改造修理費）、労務費（研究員費、補助員費）、その他経費（消耗品費、旅費、外注費、諸経費）、委託費・共同研究費（50%未満）

公募期間	1月27日〜2月27日（2020年）
問い合わせ先	NEDO（国立研究開発法人新エネルギー・産業技術総合開発機構）　ロボット・AI部　FAX：044-520-5243

最新の公募要領

成長戦略データベース

①委託事業と②補助事業（補助金）が一体となっている事業です。両方への申請が必須で、それぞれ申請書（提案書）作成する必要があります。

　①と②どちらも、
・自ら開発したフライトコントローラー及び機体が「空の産業革命に向けたロードマップ2019」で定めるレベル３飛行を実現した経験があること。
・国内に主たる研究開発拠点を有すること。
　等が要件となっています。

　①では、政府調達向けを想定したドローンの標準機体設計・開発及びフライトコントローラー標準基盤設計開発（アジャイル開発が前提）が対象、②では、ドローンの主要部品設計・開発支援並びに量産等体制構築が対象です。

　事業終了後、早期な政府調達等の市場参入が実現できる企業が要件となっており、申請書においては、終了後直ちに実用化を目指す上での開発計画、投資計画、実用化能力の説明をいかにするかが重要なポイントになります。
　また、「我が国の産業の競争力強化および新規産業創出・新規企業促進への波及効果の大きな提案」は優先的に採択されることとなっていますので、その旨も忘れずアピールすることが肝心でしょう。

　中堅・中小・ベンチャー企業自身は補助率が優遇されることや、それ以外の事業者が申請する場合でも、「中堅・中小・ベンチャー企業が直接委託・助成先であり、研究開発遂行や実用化・事業化にあたっての重要な役割を担っている場合」は加点されることなどから、中堅・中小・ベンチャー企業の参加が望まれていることがわかります。
※中堅企業：1,000人未満また売上1,000億円未満等
※ベンチャー企業：試験研究費等が売上高の３％以上また研究者が２人以上かつ全従業員数の10％以上等
※みなし大企業は対象外

65 コネクテッドインダストリー

全国

Connected Industries推進のための協調領域データ共有・AIシステム開発促進事業

Connected Industries重点5分野に関する業界横断型AIシステムの開発と業界共用データ基盤の開発を支援してくれる補助金です。スタートアップの参加が歓迎されています。

補助金額の上限	★★★★★	①②3億円（1億円×3年） ③9億円（3億円×3年）
補助率の上限	★★★★	①2／3 ②③中小・中堅企業2／3 大企業1／2 ※②③で「中小・中堅企業でありスタートアップと認められる者が含まれる体制」の場合は事業全体で2／3
補助事業期間 （最長）	★★★★★	3年度 ただし①③は2年度以上
中小企業向き	★★★★	中小・中堅企業スタートアップ限定タイプと、非限定タイプがある補助金です。後者では中小・中堅企業とスタートアップは補助率が優遇されています。
採択数	★★★	初回公募：18件 追加公募：4件 合計：22件（2019年）
採択率	★★	初回公募：26.1% 追加公募：66.7%（2019年）

申請タイプ
【補助金】①業界横断型AIシステムの開発 【補助金】②業界共用データ基盤の開発 【補助金】③業界横断型AIシステムと業界共用データ基盤の連携開発 ※複数タイプへの申請可（採択されるのは1件のみ）

連携	共同申請も可能です。
法認定等	「ワーク・ライフ・バランス等推進企業」に関する認定を受けていると加点されます。
審査方式	一次審査（書類審査）を通過した申請者に対して、二次審査（プレゼンテーション審査と面談審査）が行われます。
対象となる経費	機械装置費等（土木・建築工事費、機械装置等製作・購入費、保守・改造修理費）、労務費（研究員費、補助員費）、その他経費（消耗品費、旅費、外注費、諸経費）、委託費・共同研究費（50%未満）

公募期間	初回公募：4月10日～5月9日 追加公募：8月8日～9月12日（2019年）
問い合わせ先	NEDO（国立研究開発法人新エネルギー・産業技術総合開発機構） IoT推進部 E-mail：cip@ml.nedo.go.jp

最新の公募要領

成長戦略データベース

Connected Industries重点5分野である「自動走行・モビリティサービス」、「ものづくり・ロボティクス」、「バイオ・素材」、「プラント・インフラ保安」および「スマートライフ」のいずれかに関連する事業が対象です。

　①②③の申請タイプがあり（前ページ参照）、①は、AI技術とその事業化能力を有する中小・中堅企業でありスタートアップと認められる者が対象です。②③は、それ以外でも申請が可能です。

　この補助金における「スタートアップ」とは、付加価値の高いミッション性を有し、大企業では容易に追従し得ない独創的かつ革新的な技術やビジネスモデルを世界に提供することを目指しており、戦略的な事業計画により短期間で急激な成長が期待できる法人を意味しています。
　スタートアップ性の評価は、「ミッション性」、「独創性」、「急成長志向」、「技術力」の4つの評価項目で行われます。1つの項目で評価された場合、スタートアップであると判定されるとともに加点されます。2つ以上の項目で評価された場合は、更に加点評価されます。

　なお、①では、以下のような十分なデータの確保が可能である場合が望まれています。
・大企業や中堅企業等から提供されるリアルデータを活用する場合
・国内外のオープン／パブリックデータを活用する場合
・シミュレーター上で学習用のデータを確保する場合

採択事例
①ホワイト物流を実現する業界横断型共同輸送マッチングサービス
　　　　　　　　　　　　　　　　　　　　日本パレットレンタル株式会社
①異音検知AIプラットフォーム開発　　　　　　　　　　Hmcomm株式会社
②運輸データオープンプラットフォーム構想（MOVOプラットフォーム構想）
　　　　　　　　　　　　　　　　　　　　　　　　株式会社Hacobu
③モビリティセンシングデータプラットフォームの構築とConnected Carサービス特化型AI SaaSの開発事業　　　　　株式会社スマートドライブ

66
全国

AIチップアイディア開発加速(アイディア実用化)
AIチップ開発加速のためのイノベーション推進事業のうち助成事業

AIチップに関する革新的なアイディアの実用化を支援してくれる補助金です。設計ツールや設計検証設備を備えた開発環境も提供してもらえます。

補助金額の上限	★★★★	1億円（5,000万円×2年）
補助率の上限	★★★★	2／3
補助事業期間（最長）	★★★★	2年度
中小企業向き	★★★★★	中小企業を主な対象とした補助金です。
採択数	★	4件（2019年）
採択率	★★	28.6%（2019年）

申請タイプ
【補助金】

連携	共同申請も可能です。
法認定等	法認定は不要です。
審査方式	書類審査に加え、必要に応じてヒアリングが行われる場合があります。
対象となる経費	機械装置等費、労務費、その他経費、委託費・共同研究費（50%未満）

公募期間	2月13日〜3月13日（2019年）
問い合わせ先	NEDO（国立研究開発法人新エネルギー・産業技術総合開発機構）　イノベーション推進部　プラットフォームグループ　TEL：044-520-5175 E-mail：ai.chip@ml.nedo.go.jp

最新の公募要領

成長戦略データベース

経済産業省による「AIチップ開発加速のためのイノベーション推進事業」は補助事業と委託事業の二本立てになっています。委託事業は大学・研究機関等が対象ですが、補助事業（補助金）の方は、AIチップに関するアイディアを持つ中小企業が対象ですので、ここでは補助金についてご紹介しています。

　対象となる事業の主な要件は、以下のようになっています。

・AIチップに関するアイディアの実用化に向けた開発であること。
・AIチップの性能を、シミュレーション等により評価し、現状以上の性能を確認することを目標としたものであること。
・提案時に提出する事業化計画をベースにし、検証したAIチップのビジネス化の道筋を立てることを目標にするものであること。
・1年目終了時までにビジネス化に向けたシナリオができていることが進捗の目安。

　補助事業の実施者には、産業技術総合研究所、東京大学から設計開発環境が試験的に提供されます。設計開発環境を活用し評価目的でサンプルの設計・試作をすることが可能です（ただし、サンプルをそのまま販売することはできません。活用して作成されたデータを使ってAIチップを量産品として製造、販売する場合には、別途契約が必要になります）。

　補助対象経費には、共同研究費が認められていますが、対象となるのは国内の学術機関等との共同研究費のみであり、海外機関及び国内の民間企業との共同研究費の計上は認められませんのでご注意ください。共同研究を実施する場合は、あらかじめ申請書に記載しておく必要があります。

採択事例

・癌コンパニオン診断用AI病理画像システム向けAIハードウェア研究開発
　　　　　　　　　株式会社ディジタルメディアプロフェッショナル／株式会社カイ
・スパースモデリング技術を用いた学習・推論エンジンを搭載するAIチップ開発
　　　　　　　　　　　　　　　　　　　　　　　　　　株式会社ハカルス
・AI技術でメモリの通信速度を高速化するメモリコントローラの開発
　　　　　　　　　　　　　　　　　　　　　　　　　株式会社シグリード
・画像集合演算プロセッサ（2D-SOP）による高度画像認識基盤の開発
　　　　　　　　　　　　　　　　　株式会社エイ・オー・テクノロジーズ

消防防災技術

消防防災科学技術研究推進制度

消防防災分野の研究開発を対象とする消防庁による委託事業です。消防機関や地方公共団体の消防・防災を担当する部署が参画し、その助言・協力を得ておこなうことが必要です。

委託金額の上限	★★★★	①②260万円　③5,200万円（2,600万円×2年）④2,600万円（1,300万円×2年）　⑤1億円（5,000万円×2年）⑥5,000万円（2,500万円×2年）
補助率の上限	★★★★★	委託（1／1）
委託事業期間（最長）	★★★★	①②1年度　③④⑤⑥2年度
中小企業向き	★★★	企業規模に関係なく申請できます。
採択数	★★	8件（新規採択分）（2019年）
採択率	★	19.0%（2019年）

申請タイプ
フェーズ1（実用可能性調査・基礎研究） 【委託事業】①テーマ設定型研究開発　　【委託事業】②テーマ自由型研究開発 フェーズ2（基盤・応用研究） 【委託事業】③テーマ設定型研究開発　　【委託事業】④テーマ自由型研究開発 フェーズ3（社会実装研究） 【委託事業】⑤テーマ設定型研究開発　　【委託事業】⑥テーマ自由型研究開発

連携	事業実施においては、消防機関等に所属する者が1名以上参画することが必要です。
法認定等	法認定は不要です。
審査方式	一次審査（書類審査）を通過した申請者に対して、①②では、必要に応じてヒアリングが行われることがあります。③④⑤⑥では、二次審査（プレゼンテーション審査）が行われます。
対象となる経費	直接経費：物品費（設備備品費、消耗品費）、人件費・謝金、旅費、その他（外注費、印刷製本費、会議費、通信運搬費、光熱水料、その他（諸経費））　間接経費（直接経費の30%以内）

公募期間	10月23日〜12月23日（2019年）
問い合わせ先	総務省　消防庁　総務課　消防技術政策担当 TEL：03-5253-7541 E-mail：gisei2@ml.soumu.go.jp

最新の公募要領

成長戦略データベース

開発段階によって３つのフェーズに分かれており、それぞれ「テーマ設定型研究開発」と「テーマ自由型研究開発」に分かれていますので、全部で６つの申請タイプがあります。それぞれ上限額や事業期間が異なっています。

　「テーマ設定型研究開発」にはさらに、「重要研究開発プログラム」と「重要施策プログラム」があります。テーマは毎年設定されますが、「重要研究開発プログラム」は、消防庁における当面の研究開発課題の達成につながる研究開発を、「重要施策プログラム」は、消防職団員の安全確保のための技術等、消防庁における重要施策を推進するための実用的な技術につながる開発を対象としています。

　「テーマ自由型研究開発」では、研究者が自らテーマを設定できます。消防機関が直面する課題を解決するための研究開発や、地域の消防防災力の向上を実現するための研究開発が対象です。

採択事例

・G空間情報とICTを活用した大規模防火対象物における防火安全対策の研究開発
研究機関：一般財団法人日本消防設備安全センター
連携消防機関等：さいたま市消防局千葉市消防局
　大規模防火対象物において、G空間情報（屋内測位システム）やICTを活用し、在館者や消防隊員等の屋内位置情報を防災センター等で把握するとともに、スマートマスク（地図情報や赤外線画像等を表示できる面体）やタブレットにより現場の隊員と情報を共有し、効率的かつ安全に消防活動を行うためのシステムを開発する。

・高粘度液体を用いた木造密集市街地及び伝統的建造物の消防技術の開発
研究機関：工学院大学
連携消防機関等：長野市消防局糸魚川市消防本部
　木造密集市街地等の火災における燃焼抑制や延焼防止のため、建物に付着しやすく、少ない量でも消火効果の高い高粘度液体を使用した消火装置の設計・開発を実施する。

安全保障技術研究

安全保障技術研究推進制度

防衛装備庁による研究委託制度です。近年の防衛技術と民生技術のボーダレス化という状況を踏まえ、先進的な民生技術についての基礎研究を公募しています。

委託金額の上限	★★★★★	①20億円／5年　②1億1,700万円（3,900万円×3年）③3,900万円（1,300万円×3年）
補助率の上限	★★★★★	委託（1／1）
委託事業期間（最長）	★★★★★	①5年度　②3年度　③3年度
中小企業向き	★★★	企業規模に関係なく申請できます。
採択数	★★★	1次公募：①3件　②7件　③6件　2次公募：①5件 合計：21件（2019年）
採択率	★★★	1次公募：①50.0%　②19.4%　③40.0% 2次公募：①11.4%（2019年）

申請タイプ
【委託事業】①大規模研究課題タイプS
【委託事業】②小規模研究課題タイプA
【委託事業】③小規模研究課題タイプC

連携	共同申請も可能です。
法認定等	法認定は不要です。
審査方式	書類審査に加え、面接があり、代表研究者自身によるプレゼンテーションが求められます。
対象となる経費	直接経費（設備備品費、消耗品費、人件費、謝金、旅費、外注費、印刷製本費、会議費、通信運搬費、光熱水料、その他、消費税相当額）、間接経費（直接経費の30％以内）

公募期間	1次公募：3月22日〜5月31日 2次公募（①のみ）：9月13日〜11月13日（2019年）
問い合わせ先	防衛省　防衛装備庁　技術戦略部　技術振興官 E-mail：funding-kobo@cs.atla.mod.go.jp

最新の公募要領

成長戦略データベース

30程度の研究テーマが提示され、それに沿ったものであれば、どのような研究をするかは自由です。

　ただし、基礎研究が対象で、応用研究や開発は対象外です。特に、新規性、独創性、または革新性を有するアイディアに基づく、科学技術領域の限界を広げるような基礎研究が求められています。

　大規模研究課題（①タイプS）は、複数年度にわたる一括の委託契約がふさわしいもの、小規模研究課題（②タイプAと③タイプC）は、年度ごとに契約更新し、最大3か年度の研究を委託するものです。

　①タイプSと②タイプAは、それぞれのテーマの条件を満たすものが対象である一方、③タイプCは研究テーマの趣旨に合致する限りにおいて、比較的自由度の高い研究が対象です。

　③タイプCでは特に、前例のない独創的な切り口から新しい知見を切り拓くようなハイリスクな研究を積極的に募集しています。そのため、申請書類の一部も記載や提出が不要となるなど、申請しやすいよう配慮されています。

　タイプごとに、申請できるテーマや、審査の観点が異なることに注意しましょう。なお、どのタイプにおいても、防衛装備品への応用可能性は審査の観点に含まれていません。

　防衛省の事業ですが、研究成果については広く民生分野で活用されることが期待されており、公表が制限されることはありません。

　最大研究金額にかかわらず、大規模研究課題では1億円程度、小規模研究課題では、年間数百万円程度の研究課題も申請可能です。

採択事例

①結晶設計・格子操作技術による固体レーザーの高速探索と機能開発

　　　　　　　　　　　　　　　　　　　エスティーシー株式会社

②1Gbps×100mのBL積を達成する水中光ワイヤレス通信技術の研究

　　　　　　　　　　　　　　　　　　　株式会社トリマティス

②機械学習と物理学ベース群知能による状況適応型群制御の研究

　　　　　　　　　　　　　　　　　クラスターダイナミクス株式会社

③超低摩擦性を有する新奇高分子塗膜のナノ構造表面の基礎研究

　　　　　　　　　　　　　　　　　　　株式会社GSIクレオス

69 東京 TOKYOイチオシ応援事業

地域の魅力を活かした新ビジネス創出事業

歴史的・文化的・経済的に「東京ならでは」の特徴がある「地域資源」の魅力を活かした、新製品・新サービスの開発・改良を支援してくれる補助金です。

補助金額の上限	★★★	1,500万円
補助率の上限	★★★	1／2
補助事業期間（最長）	★★★★	2年
中小企業向き	★★★★★	東京都内の中小企業を主な対象とした補助金です。
採択数	★★★	25件（2019年） 25件（2018年）
採択率	★★★	55.6%（2019年）

申請タイプ
【補助金】

連携	単独申請が原則です。
法認定等	法認定は不要です。
審査方式	一次審査（書類審査）を通過した申請者に対して、二次審査（面接審査）が行われます。
対象となる経費	原材料・副資材費、機械装置・工具器具費、委託・外注費、専門家指導費、賃借費、産業財産権出願・導入費、直接人件費、広告費、展示会等参加費、イベント開催費

公募期間	申請予約：6月13日〜8月26日 申請書提出：9月2日〜9月5日（2019年）
問い合わせ先	公益財団法人東京都中小企業振興公社　助成課 TEL：03-3251-7894・7895

最新の公募要領

成長戦略データベース

東京の地域資源を活かして新しいビジネスにチャレンジする中小企業を応援してくれます。開発・改良から販路開拓までの幅広い費用をカバーしてくれる、活用しやすい補助金です（販路開拓だけに活用することはできません）。

　補助金の他に、地域応援アドバイザー及び専門家によるハンズオン支援も受けることができます。

　「農林水産物」、「鉱工業品・生産技術」、「観光資源」のいずれかが対象です。その他にも、対象となる「地域資源」の条件が提示されていますが、該当するかどうかの判断は難しいです。すべての条件を満たすものとして、東京都が指定する「地域産業資源一覧表」がありますので、それで確認するとよいでしょう。

　また、「地域産業資源一覧表」を見ると、意外と幅広いものが該当することがわかります。特に、計測機器や皮革製品などまでも対象になっていることに、気づいている人は少ないかもしれません。

採択事例

・多摩産材を活用した木のストローの開発　　　　　　株式会社クレコ・ラボ
　　多摩産材のヒノキやスギのうち、節があるなどの理由でこれまで利活用されてこなかった低ランク木材を用いて、「木のストロー」を作るための技術を開発する。未利用の木材の有効活用により、コストの削減と林業の活性化に貢献する。

・大田区の機械加工技術による流量計の開発　　　　　　　株式会社司測研
　　今後新たに導入が検討されている自動車排出ガスの実路走行試験に必要な高精度の車載型排気流量計を開発する。大田区の産業用機械部品技術を活用し、ベンチュリー（配管を絞ることで流速を加速させ、低い圧力を発生させる機構）とピトー管（流体の流れの速さを測る計測器）を組み合わせた新しい計測方式で設計する。

・府中から明るい現場を！ LED1200W投光器　　　　株式会社ライトボーイ
　　国内初のLED1200Wバルーン投光器を開発する。より明るい作業現場を実現することで、交通事故や業務災害の削減やLEDによる省エネに貢献する。

70 先進的防災

東京

先進的防災技術実用化支援事業

優れた防災技術・製品の実用化および普及促進のための補助金です。「防災」の意味も、対象となる災害の種類もかなり広く設定されており、意外と幅広く活用できます。

補助金額の上限	★★★	1,350万円（①1,000万円＋②200万円＋③150万円）
補助率の上限	★★★★	①2／3　②③1／2
補助事業期間（最長）	★★★★	①1年9ヶ月　②③1年　計2年9ヶ月
中小企業向き	★★★★★	東京都内に本店・支店のある中小企業を対象とした補助金です。
採択数	★★★	26件（2019年）　28件（2018年）
採択率	★★★	58.3%（2018年）

申請タイプ

【補助金】①改良・実用化フェーズ
【補助金】②普及促進フェーズ（先導的ユーザーへの導入費用助成）
【補助金】③普及促進フェーズ（展示会出展・広告費の助成）
※複数タイプへの申請可。①の実施は必須。

連携	中小企業グループによる共同申請も可能です。
法認定等	法認定は不要です。
審査方式	一次審査（書類審査）を通過した申請者に対して、二次審査（面接審査）が行われます。
対象となる経費	①原材料・副資材費、機械装置・工具器具費、委託費、産業財産権出願・導入費、直接人件費　②先導的ユーザーへの導入に係る原材料・副資材費、機械装置・工具器具費、委託費、直接人件費　③展示会出展費、広告物制作費、広告掲載費

公募期間	申請予約：3月20日〜6月7日 申請書提出：6月14日〜6月20日（2019年）
問い合わせ先	公益財団法人東京都中小企業振興公社　助成課 TEL：03-3251-7894・7895

最新の公募要領

成長戦略データベース

「災害の未然防止」、「被害の拡大防止」、「救助・復旧・復興」、「避難の円滑化、避難場所・生活の確保」のいずれかのための技術、製品等が対象となります。

　対象となる災害の種類も、以下のように多岐に渡っています。
・自然災害（地震災害、風水害、火山災害）
・事故災害（火災、危険物事故、船舶事故、航空機事故、鉄道事故等、原子力事故、その他募集要項に定めるもの）
・その他災害（酷暑害、干害、冷害・寒害、視程不良害、感染症）

　①改良・実用化フェーズ、②普及促進フェーズ（先導的ユーザーへの導入費用助成）、③普及促進フェーズ（展示会出展・広告費の助成）に分かれていますが、①の実施が必須となっており、②③のみの申請はできません。採択され、①の実施が完了してから、希望であれば②③を行う形になります。

　②では、先導的ユーザーに販売する商品の原価が補助対象となります。金額は大きくはないですが、貴重な補助金といえます。
　②は200万円以内、③は150万円以内ですが、合計350万円の中で、ある程度の流用が認められています。

採択事例
・ビル火災時等における救助用ドローンの開発
　　　　　　　　　　　　　エアロディベロップジャパン株式会社
・東京椿のドライシャンプー　　　　　　　　　　株式会社クラウディア
・携帯TV・FM機能とマグネ充電器の一体化
　　　　　　　　　　　　　株式会社STAYERホールディングス
・重量規制橋梁向け警告表示システム　　　　　　株式会社TTES
・一体型ポータブルX線透視撮影装置システム　　ミカサエックスレイ株式会社

サービスロボットSIer

サービスロボットSIer 人材育成事業

中小企業の持つ技術力やビジネスプランをベースとした、ロボット・ロボットシステムの開発（ビジネスモデルの開発を含む）を、都産技研と共同研究する形の委託事業です。

委託金額の上限	★★★	2,000万円
補助率の上限	★★★★★	委託（1／1）
委託事業期間（最長）	★★★	1年
中小企業向き	★★★	東京都の企業に限らず申請できます。企業規模に関係なく申請できます。
採択数	★	3件（2019年）
採択率	———	不明（2019年）

申請タイプ
【委託事業】

連携	共同申請も可能です。
法認定等	法認定は不要です。
審査方式	書類審査に加え、30分〜40分のプレゼンテーション審査が行われます。
対象となる経費	機器設備費（機械装置費、保守・改造修理費）、労務費（研究開発員費、管理員費、補助員費）、事業費（備品・消耗品費、旅費・交通費、外注費、知的財産権に係る経費、技術の使用に係る経費、保険料、その他経費）

公募期間	事前相談：1月22日〜2月7日　※事前相談必須 申請書提出：2月8日〜2月15日（2019年）	最新の公募要領
問い合わせ先	地方独立行政法人東京都立産業技術研究センター　開発本部　開発企画室　TEL：03-5530-2558 E-mail：kouryutoroku@iri-tokyo.jp	成長戦略データベース

産業用ロボット分野と比べ、サービスロボット分野のシステムインテグレーター（SIer）は数が少なく、育成が急務となっています。そのような状況を背景とし、サービスロボットの事業化を目指すことにより、サービスロボットSIerを創出しようという目的を持った、都産技研（東京都立産業技術研究センター）による委託事業です。

　都産技研が保有するシーズの活用や施設・設備の利用等をさせてもらえます。委託事業なので、経費も全額負担してもらえ大変有利です。

　申請できるのは、日本国内に登記簿上の事業所があり、日本国内に開発拠点を構える企業です。中小企業である必要はありません。

　ただし、委託金額の70％以上が中小企業の利用する経費となることが要件となっており（中小企業の立場は、申請者、共同研究者または外注先のいずれでも構いません）、実質的に中小企業のための補助金と言えるでしょう。

　対象となる経費に外注費があげられていますが、ここでいう外注費とは、共同体メンバー以外に、加工・設計・分析検査・実証実験等を外注する場合の費用のことを指しています。事業の本質となるインテグレーター業務の外注は認められません。そのような場合は、共同体のメンバーに加える必要があります。

　労務費では、ロボットの改造などの研究開発を行う担当者だけなく、事業化のための営業活動を行う担当者や、事務作業・管理業務を行う管理員の人件費も対象となります。

　なお、機械装置費が対象となっていますが、生産設備（ロボットまたはその一部を量産するための機器設備）の購入は対象となりませんのでご注意ください。

採択事例
・準天頂対応大型LTEドローンの開発　株式会社日立システムズ／株式会社神明
・物流分野でのサービスロボットを利用した省人化の実証〜事業化
　　　　　　　　GROUND株式会社／ダイアモンドヘッド株式会社
・個別指導塾の講師役となる先生ロボットの開発とサービスの構築
　　　　　　　　有限会社ソリューションゲート／株式会社中萬学院

中小企業IoT化
中小企業のIoT化支援事業「公募型共同研究」

東京都立産業技術研究センターが、中小企業のIoT活用による生産性の向上やIoT関連の製品開発を支援するためにおこなっている、公募型共同研究（委託事業）です。

委託金額の上限	★★★	①500万円　②2,500万円／2年（1,500万円／年） ③3,000万円／2年（1,750万円／年）　④1,000万円
補助率の上限	★★★★★	委託（1／1）
委託事業期間 （最長）	★★★★	①1年　②2年　③2年　④1年
中小企業向き	★★★★★	東京都内に登記簿上の事業所があり、日本国内に開発拠点を構える中小企業を対象とした補助金です。条件を満たせば外資系中小企業も申請できます。
採択数	★★	①4件　②4件　③2件　合計：10件（2018年）
採択率	★	14.0%（2019年10月事業開始分公募） 12.5%（2020年1月事業開始分公募）（2019年）

申請タイプ
【委託事業】①IoT共同開発研究 【委託事業】②IoTソリューション研究 【委託事業】③テーマ設定型AI活用実証型研究 【委託事業】④テーマ設定型広域実証型研究

連携	中小企業、大企業、大学、公試等との連携が可能です。
法認定等	法認定は不要です。
審査方式	一次審査（書類審査）を通過した申請者に対して、二次審査（面接審査）が行われます。
対象となる経費	機器設備費（機械装置費、保守・改造修理費）、労務費（研究開発員費、管理員費、補助員費）、事業費（備品・消耗品費、旅費・交通費、外注費、知的財産権に係る経費、技術の使用に係る経費、保険料、その他経費）

公募期間	年に数回、不定期（2019年）
問い合わせ先	地方独立行政法人東京都立産業技術研究センター　開発本部　開発企画室　プロジェクト企画係 TEL：03-5530-2558

最新の公募要領

成長戦略データベース

公募型共同研究とは、都産技研（東京都立産業技術研究センター）が中小企業に研究開発を委託し、その研究開発の一部を都産技研が分担して実施する共同研究です。都産技研が保有するシーズの活用や施設・設備の利用等をさせてもらえます。委託事業なので、経費も全額負担してもらえ大変有利です。

　また、その中小企業を代表企業とする、中小企業、大企業、大学、公試等の、複数の法人で構成されたグループでの共同申請も可能です。共同申請の場合、代表企業以外は、日本法人格を持ち、日本国内に開発拠点があることだけが要件と、かなり緩くなっています。

　申請タイプ（研究の種類）は、2019年においては4つあり、それぞれ上限額、事業期間が異なっています。

　公募は年に数回、不定期に行われますが、どの回の公募でも、事業期間はしっかり1年間（②③は2年間）取ってもらえるので安心です。ただし、毎回すべての申請タイプの公募があるとは限りません。

　公募のたびに毎回、説明会や事前相談が設定されますが、それらへの参加は申請の必須要件ではありません。

　なお、機械装置費が対象となっていますが、生産設備（量産するための機器設備）の購入は認められませんのでご注意ください。

採択事例
①近赤外マグロ脂質測定装置のIoT化
　　　　　　　　　　　　　株式会社相馬光学（東京都西多摩郡日の出町）
②Tig溶接熟練技能のIoTによるデジタル化
　　　　　　　　　　　　　　株式会社今野製作所（東京都足立区）
③露地での収量予測と最適灌水制御AIエンジンの開発
　　　　　　　　　　　　東洋システム株式会社（東京都立川市）
④スマート鳥獣自動判別システムの開発
　　　　　　　　　　　　株式会社スカイシーカー（東京都千代田区）

第10章

省エネルギー
に関する補助金

73 エネ合（工場・事業場単位）

全国

エネルギー使用合理化等事業者支援事業（工場・事業場単位での省エネルギー設備導入事業）

「エネ合」の通称で知られる、中小企業にとって一番有名な省エネ補助金です。設備の入れ替えに使えます。ここでは、「工場・事業場単位」で申請するものについて紹介しています。

補助金額の上限	★★★★★	15億円
補助率の上限	★★	中小企業：1／3　大企業：1／4
補助事業期間 （最長）	★★	1年度
中小企業向き	★★★★	企業規模に関係なく申請できますが、中小企業は補助率が優遇されています。また、中小企業による申請は審査において加点されます。
採択数	★★★★★	339件（2019年　省エネ補助金と省電力補助金の工場・事業場単位タイプの合計）
採択率	★★★★★	91.1%（2019年　省エネ補助金の工場・事業場単位タイプ）　54.3%（2019年　省電力補助金の工場・事業場単位タイプ）

申請タイプ
【補助金】

連携	ESCO事業者・リース事業者との共同申請が可能です。
法認定等	認定された「経営力向上計画」に記載された事業、承認された「地域経済牽引事業計画」に記載された地域経済牽引事業を行う実施場所における省エネルギー事業は、加点されます。
審査方式	書類審査に加え、必要に応じてヒアリングが行われる場合があります。
対象となる経費	設計費、設備費、工事費

公募期間	5月20日〜6月28日（2019年）
問い合わせ先	経済産業省　資源エネルギー庁　省エネルギー・新エネルギー部　省エネルギー課　TEL：03-3501-9726 E-mail：shouene-dounyushien@meti.go.jp

最新の公募要領

成長戦略データベース

中小企業にとって、省エネ補助金の本命と言えば、エネ合です。20年以上前から続いている息の長い補助金であり、他の省エネ補助金に比べ予算が桁外れに多いため採択数も多く、採択されやすいのが一番の人気の理由です。

　中小企業が優遇されていることや、生産設備などにも幅広く活用できることも人気の理由の1つでしょう。

　最近、申請タイプごとに補助金が分かれたかと思うとまた統合されたりと、制度がわかりにくくなっていますが、「エネ合」全体としての基本スキームはそれほど変わっていません。

　一方、採択案件の平均省エネ率がここ数年で倍以上になるなど、実質的な難易度は上昇して来ています。

　「工場・事業場単位」では、既設設備・システムの入替えや製造プロセスの改善等の改修やエネルギーマネジメントシステムの導入により、工場・事業場等における省エネ対策を行う事業が対象です。

　もう1つのエネ合である「設備単位での省エネルギー設備導入事業」と比較すると、以下が特徴と言えます。
・一定の要件を満たす全ての設備が対象となる。
・設備費の他、設計費・工事費も補助対象となる。
・上限額が大きい。
・大企業、みなし大企業も申請できる。
・省エネ要件に、省エネルギー率や省エネルギー量の達成目標がある。
・申請から受給までの書類手続きが大変。

　製造業の場合、計画省エネルギー率では他の業種に負けてしまいがちですが、審査では、計画省エネルギー量や、コストパフォーマンス（補助対象経費1,000万円当たりの計画省エネルギー量）も評価対象となります。また、色々な加点項目も設定されています。要件を満たすことが可能な加点項目は、残さずクリアして臨みたいものです。

74 全国 エネ合（設備単位）

エネルギー使用合理化等事業者支援事業（設備単位での省エネルギー設備導入事業）

「エネ合」の通称で知られる、中小企業にとって一番有名な省エネ補助金です。設備の入れ替えに使えます。ここでは、「設備単位」で申請するものについて紹介しています。

補助金額の上限	★★★	3,000万円
補助率の上限	★★	1／3
補助事業期間（最長）	★★	1年度
中小企業向き	★★★★★	中小企業者、個人事業主、会社法上の会社以外の法人（社会福祉法人、医療法人等）を対象とした補助金です。
採択数	★★★★★	2,544件（2019年　省エネ補助金と省電力補助金の設備単位タイプの合計）
採択率	★★★★★	90.0%（2019年　省エネ補助金の設備単位タイプ） 69.3%（2019年　省電力補助金の設備単位タイプ）

申請タイプ
【補助金】

連携	ESCO事業者・リース事業者との共同申請も可能です。
法認定等	法認定は不要です。
審査方式	書類審査に加え、必要に応じてヒアリングが行われる場合があります。
対象となる経費	設備費のみ（工事費、運搬費、据付費等の費用は対象外）

公募期間	5月20日～6月28日（2019年）
問い合わせ先	経済産業省　資源エネルギー庁　省エネルギー・新エネルギー部　省エネルギー課　TEL：03-3501-9726 E-mail：shouene-dounyushien@meti.go.jp

最新の公募要領

成長戦略データベース

中小企業にとって、省エネ補助金の本命と言えば、エネ合です。最近、申請タイプごとに補助金が分かれたかと思うとまた統合されたりと、制度がわかりにくくなっていますが、「エネ合」全体としての基本スキームはそれほど変わっていません。

　「設備単位」では、中小企業者等による、事務局指定の省エネルギー効果の高い設備への更新（入れ替え）を行う事業が対象です。

　もう1つのエネ合である「工場・事業場単位での省エネルギー設備導入事業」と比較すると、以下が特徴と言えます。

・基本的には、指定された設備が対象。

・設備費のみが補助対象となる（設計費・工事費は対象外）。

・上限額が小さい。

・大企業、みなし大企業は申請できない。

・申請から受給までの書類手続きが比較的簡易である。

　補助対象設備は、以下が指定されています。
(1)高効率空調　(2)産業用ヒートポンプ　(3)業務用給湯器　(4)高性能ボイラ
(5)高効率コージェネレーション　(6)低炭素工業炉　(7)変圧器
(8)冷凍冷蔵庫　(9)産業用モータ
※高効率照明は2020年以降は補助対象外となりました。

　公募要領には、それぞれの設備区分につき、種別とその対象範囲および満たすべき基準値が掲載されています。

　以下の設備は認められませんので注意しましょう。

・更新前後で使用用途が異なる

・兼用設備、将来用設備、予備設備

・中古品

・エネルギー消費を抑制する目的と関係のない機能等を追加している設備

　ESCOやリースの利用による設備導入も対象となり、その場合は、ESCO事業者、リース事業者との共同申請になります。ESCO事業者、リース事業者は、中小企業者等に該当しなくても構いません。

省エネ

75 エネ合（生産設備）

全国

生産設備におけるエネルギー使用合理化等事業者支援事業費補助金

通称「エネ合」で知られる省エネ補助金の、新しいタイプです。通常のエネ合と比べ、補助対象となる設備が「生産設備」の更新（入替）に限定されているのが特徴です。

補助金額の上限	★★★	2,000万円
補助率の上限	★★	1／3
補助事業期間 （最長）	★★	1年度
中小企業向き	★★★★★	中小企業を主な対象とした補助金です。
採択数	★★★★★	約300件（2020年予想）
採択率	———————	未定（2020年）

申請タイプ
【補助金】

連携	リース事業者との共同申請が可能です。
法認定等	法認定は不要です。
審査方式	書類審査に加え、必要に応じてヒアリングが行われる場合があります。
対象となる経費	設備費のみ（工事費、運搬費、据付費等の費用は対象外）

公募期間	3月30日〜5月1日（2020年）	最新の公募要領 成長戦略データベース
問い合わせ先	経済産業省　資源エネルギー庁　省エネルギー・新エネルギー部　省エネルギー課　TEL：03-3501-9726 E-mail：shouene-dounyushien@meti.go.jp	

通常のエネ合（198～201ページ）では、生産設備は事業所全体で申請する場合しか認められませんが、この補助金では設備単位での申請が可能であるため、かなり注目度の高い補助金です。

　対象となる設備区分は以下の通りです。

⑴工作機械：旋盤（ターニングセンタ含む）、マシニングセンタ、レーザ加工機、フライス盤、研削盤

⑵プラスチック加工機械：射出成形機

⑶プレス機械：サーボプレス、プレスブレーキ、パンチングプレス（レーザ複合機含む）

⑷印刷機械：印刷機（有版）、デジタル枚葉印刷機、連帳デジタル印刷機

　1回の申請で複数の設備を申請することは可能ですが、「エネルギー管理を一体で行う事業所単位」で申請するので、複数の事業所にまたがって申請することはできません。

　事前に対象設備が登録されているため、申請手続き自体は比較的容易ですが、通常のエネ合と比べ予算額がそれほど大きくないため、かなりの高倍率となりそうです。また、審査は設備区分ごとに行われるため、人気のある区分（特に工作機械）における競争率はさらに高くなるでしょう。

　生産設備の更新によって向上が見込まれることが申請の要件となっている省エネ量と生産性向上率は、審査基準でもありますので、これらで高い数値を出すことが肝心です。

　評価項目は、計画省エネ量、計画省エネ率、生産性向上率（対象とする生産設備の更新前後での生産性指標の向上率）、経費当たり省エネ量（補助対象経費1,000万円当たりの省エネ量）の4つです。

　省エネ量と生産性向上率の計算方式には、指定計算と独自計算の2つの方式があります。簡単なのは指定計算方式ですが、独自計算方式の方が工夫をする余地があるため、有利な数値を出せる場合があります。

　ただし、「工夫」と言っても、採択されるだけでなく、確実に受給までたどり着くためには、受給、ひいては受給後の報告までを見据えた工夫をする必要があります。

ASSET事業

先進対策の効率的実施による二酸化炭素排出量大幅削減設備補助事業

L2-Tech認証製品等の先導的機器等を導入してCO_2を大幅削減する事業を支援する補助金です。業務ビルや工場等の他、病院、福祉施設、宿泊施設等にも幅広く利用できます。

補助金額の上限	★★★★★	1億5,000万円
補助率の上限	★★★	L2-Tech認証製品：本体・直属機器1／2、付帯機器1／3　その他低炭素製品：すべて1／3
補助事業期間（最長）	★★	1年度　※総事業費3億円以上かつ補助金申請額1億円以上の場合は2年度も可。
中小企業向き	★★★	企業規模に関係なく申請できます。
採択数	★★★★	92件（2019年）
採択率	————	不明（2019年）

申請タイプ
【補助金】

連携	共同申請も可能です。
法認定等	法認定は不要です。
審査方式	書類審査のみ。
対象となる経費	工事費（材料費・労務費・直接経費・共通仮設費・現場管理費・一般管理費）、付帯工事費、機械器具費、測量及試験費、設備費、事務費

公募期間	4月25日～6月4日（2019年）	最新の公募要領
問い合わせ先	環境省　地球環境局　地球温暖化対策課　市場メカニズム室　TEL：03-5521-8354	成長戦略データベース

2012年から続いている有名な補助金で、毎年100件前後が採択されています。L2-Tech認証製品導入比率が50％以上であれば、その他低炭素製品も対象となります。L2-Tech認証製品は定期的に環境省から公表されますが、細かい型番まで指定されており、それ以外の型番の製品は対象となりませんので注意が必要です。

ESCO事業、リース等を活用し、設備の所有者を代表事業者、事業場等の所有者を共同事業者として共同申請することも可能です。
前年度にこの補助金を利用した事業場は対象外です（それ以前に利用した場合も、対象外となる可能性があります）ので、1つの事業場への機器導入は一度にまとめて実施するようにしましょう。

審査は、費用対効果の優れた提案の順に予算総額に達するまで採択される、リバースオークション方式で行われます。

CO_2排出量の削減目標量を達成できなかった場合、排出枠の取引によって超過したCO_2排出量をASSETシステム上で償却する必要があり、実質的に、補助金の減額や不受給になってしまいますのでご注意ください。逆に、削減目標量を超過して達成した場合には、排出枠を売却することができます。

なお、原則は単年度事業ですが、事業規模が大きく（総事業費3億円以上かつ補助金申請額1億円以上）、単年度での実施が困難な事業であって、年度ごとに事業内容と発生経費を明確に区分できる場合は、2年度事業として申請することができます。

採択事例
・久留米工場（福岡県久留米市）　　　　　　福徳長酒類株式会社
・シルバーケア豊壽園（三重県津市）　　　　社会福祉法人洗心福祉会
・湯の浜ホテル（北海道函館市）
　　　　　　　　　　株式会社スマート・リソース／有限会社湯ノ浜
・光精工株式会社本社（三重県桑名市）　共友リース株式会社／光精工株式会社

設備高効率化改修（設備）

設備の高効率化改修による省CO2促進事業

設備の部品・部材のうち、その交換・追加が大幅なエネルギー効率の改善とCO2の削減に直結するものに対して、部品交換・追加等に必要な経費を補助してくれる補助金です。

補助金額の上限	★★★★★	上限額なし
補助率の上限	★★★	資本金1,000万円未満の民間企業：1／2　資本金1,000万円以上の民間企業：1／3　※再生可能エネルギー由来の設備改修等の場合はそれぞれ2／3、1／2
補助事業期間（最長）	★★	1年度
中小企業向き	★★★★	企業規模に関係なく申請できますが、資本金1,000万円未満の民間企業は補助率が優遇されています。
採択数	★★★★	90件（2019年）
採択率	———	不明（2019年）

申請タイプ
【補助金】

連携	共同申請も可能です。
法認定等	法認定は不要です。
審査方式	書類審査のみ。
対象となる経費	設備のエネルギー効率を改善する部品・部材の交換・追加に要する費用

公募期間	1次公募：4月23日〜5月29日 2次公募：6月25日〜7月19日 3次公募：8月22日〜9月12日（2019年）
問い合わせ先	環境省　地球環境局　地球温暖化対策課　地球温暖化対策事業室　TEL：03-5521-8355

最新の公募要領

成長戦略データベース

経済的理由から、経年劣化等により効率の低下した設備を限界まで使用していると、エネルギーコストの増大を招き、それが更なる経費圧迫を生む悪循環に陥ってしまいます。そのような、機器全体の更新が困難な事業者に対して、エネルギー効率改善に寄与する部品や部材の交換や追加による設備の効率改善を支援してくれます。

　地方公共団体と民間事業者を対象とした補助金ですが、大部分が民間事業者で占められ、毎年多くの民間事業者が採択されています。導入する設備等をファイナンスリースにより提供する契約を行う民間企業も、活用することができます。宿泊施設、福祉施設、病院、アミューズメント施設などに利用されています。

　製造業、電気業、ガス業、熱供給業の生産施設と、サービス業のうち自動車整備工場、機械等修理工場は対象外となりますのでご注意ください。

　「交換」の例としては、モーター・コンプレッサー・ポンプ・ファン、タービン、ファンベルト及びファンベルトドライブシステム、熱交換器、バーナー、変圧器、蓄電池等のセル、水素製造装置スタックが、「追加」の例としては、断熱ジャケット、断熱パネル、インバータ、熱交換器、制御装置があげられています。

省エネ

採択事例
・受変電設備変圧器の高効率化改修による省CO2促進事業
　　　　　　　　　　　　　　　　有限会社ホテルマツヤ（高知県宿毛市）
・フラッシュ蒸気発生装置の追加による高効率化改修支援モデル事業
　　　　　　　　　　　　　　　　株式会社原ドライ工場（群馬県沼田市）
・設備の高効率化改修による省CO2促進事業（空調用コンプレッサー等の交
　換・空調用台数コントローラーの追加）
　　　　　　　　　　　　医療法人敬愛会（東近江敬愛病院）（滋賀県東近江市）
・設備の高効率化改修による省CO2促進事業（空調用コンプレッサー等の交換）
　　　社会福祉法人東和福祉会（特別養護老人ホーム寝屋川苑）（大阪府寝屋川市）

78 脱フロン補助金

全国

脱フロン・低炭素社会の早期実現のための省エネ型自然冷媒機器導入加速化事業

冷凍冷蔵倉庫、食品製造工場、食品小売店舗において、先端性の高い技術を使用した省エネ型自然冷媒の冷凍冷蔵機器を導入する際に使える補助金です。

補助金額の上限	★★★★★	5億円（フランチャイズ形態のコンビニエンスストアは1億7,000万円）／1事業者
補助率の上限	★★	1／3
補助事業期間（最長）	★★	1年度
中小企業向き	★★★★	企業規模に関係なく申請できますが、中小企業には審査で10％の加点措置があります。
採択数	★★★★★	冷凍冷蔵倉庫：96件　食品製造工場：28件　食品小売店舗におけるショーケースその他：189件　合計：313件　※事業所数　（2019年）
採択率	———	不明（2019年）

申請タイプ
【補助金】

連携	共同申請も可能です。
法認定等	法認定は不要です。
審査方式	書類審査のみ。
対象となる経費	工事費（材料費、労務費、直接経費、共通仮設費、現場管理費、一般管理費）、付帯工事費、機械器具費、測量及試験費、設備費、業務費および事務費　※撤去費は対象外

公募期間	1次公募：4月8日〜5月13日　2次公募：7月8日〜7月26日　3次公募：9月2日〜9月24日　4次公募：10月28日〜11月18日（2019年）	最新の公募要領 成長戦略データベース
問い合わせ先	環境省　地球環境局　地球温暖化対策課　フロン対策室　TEL：03-5521-8329	

長く続いている定番の補助金です。「冷凍冷蔵倉庫」、「食品製造工場」、「食品小売店舗」への導入に限定されていますのでご注意ください。

「冷凍冷蔵倉庫」では、保管用の場所が含まれていない場合は対象外となります。また、「食品製造工場」は、消費者がその食品自体を直接飲食することを目的とした食品およびその原材料を製造・加工する工場が対象です。

原則として、エネルギー管理を一体で行う事業所単位で申請を行います。ただし、同一事業所において「冷凍冷蔵倉庫および食品製造工場に用いられる省エネ型自然冷媒機器」と「食品小売店舗におけるショーケースその他の省エネ型自然冷媒機器」を併せて導入する場合は、分けて申請を行います。

上限額は事業所単位ではなく、1事業者当たり5億円（フランチャイズ形態のコンビニエンスストアは1億7,000万円）となっています。1事業者で複数の事業所や複数回の申請ができますが、合計で5億円以内が上限です（不採択分は除く）。

リースで導入する場合も活用できます。リース事業者を代表事業者、設備利用者を共同申請者とした共同申請として申請します。その場合の上限額は、リース事業者ではなく、設備利用者を1事業者としてカウントします。

2019年は第4次公募まで行われましたが、2次公募以降はフランチャイズ形態のコンビニエンスストアに限定された公募でした。初回の公募への申請をお勧めします。

採択事例

＜冷凍冷蔵倉庫＞
- ・カトーレック株式会社
- ・金子産業株式会社
- ・株式会社青葉冷凍
- ・株式会社アクシーズ
- ・株式会社荒野商店

＜食品製造工場＞
- ・クレードル食品株式会社
- ・甲府東洋株式会社
- ・サンマルコ食品株式会社
- ・上越フーズ株式会社

＜食品小売店舗＞
- ・株式会社原信（22事業所）
- ・三井住友ファイナンス＆リース株式会社（株式会社ファミリーマート（20事業所））

省エネ

エネルギーマネジメントシステムを導入する、「複数の住宅・建築物で連携した取組に係るエネルギー消費性能向上計画」の認定を受けているプロジェクトを支援してくれる補助金です。

補助金額の上限	★★★★★	5億円
補助率の上限	★★★	1／2
補助事業期間（最長）	★★★★★	4年度
中小企業向き	★★★	企業規模に関係なく申請できます。
採択数	★	2件（2019年）
採択率	★★★★★	100.0%（2019年）

申請タイプ
【補助金】①エネルギーマネジメントシステム及び複数の住宅・建築物にエネルギーを供給するための省エネ設備を整備する事業
【補助金】②エネルギーマネジメントシステムの導入等の技術の効果を検証する事業

連携	共同申請も可能です。
法認定等	建築物省エネ法に基づく、複数の住宅・建築物で連携した取組に係る「建築物エネルギー消費性能向上計画」の認定を受けることが必要です（補助金交付時までに受けていれば可）。
審査方式	書類審査のみ。
対象となる経費	設計費、エネルギーマネジメントシステムの整備費、建設工事費 など

公募期間	11月18日～12月18日（2019年）
問い合わせ先	国土交通省　住宅局　住宅生産課 TEL：03-5253-8111（内線39-429・39-437）

最新の公募要領

成長戦略データベース

改正建築物省エネ法が公布され、複数棟に対する性能向上計画認定制度が施行されたことを受け、2019年に創設された補助金です。

複数の住宅・建築物におけるエネルギーの面的利用により、エネルギー供給を最適化するエネルギーマネジメントシステムの導入を通じて、街区全体として高い省エネ性能を実現する事業（複数の住宅・建築物全体の設計一次エネ消費量が、基準一次エネ×0.7相当以下）が対象です。

補助事業を通じて、エネルギーマネジメントシステム技術の普及・啓発に寄与することが期待されています。

補助対象設備等の所有者が申請者となります。所有者と認定に含まれる各建築物の建築主が異なる場合は、建築主との共同申請が必要です。建築主と連携して省CO2技術を導入する者等（ESCO事業者、リース事業者、エネルギーサービス事業者等）による、グループでの提案も可能です。

申請タイプの②は、①の事業完了後に効果の検証を実施するプロジェクトが対象ですが、①の事業の実施完了後の②への申請は必須ではありません。

採択事例

・虎ノ門・麻布台地区 第一種市街地再開発事業

虎ノ門エネルギーネットワーク株式会社
エネルギープラントを構築し、街区内で電力と熱の融通を実施。エネルギープラントに、大型の高効率コージェネレーションシステム、大規模蓄熱槽、高効率熱源機器を配置。需要サイドの負荷予測を踏まえた電力・熱制御を行うエネルギーマネジメントを導入。※一部抜粋

・虎ノ門一・二丁目地区 第一種市街地再開発事業

虎ノ門エネルギーネットワーク株式会社
エネルギープラントを構築し、街区内で電力と熱の融通を実施。エネルギープラントに、大型の高効率コージェネレーションシステム、大規模蓄熱槽、高効率熱源機器を導入。本プラントおよび既設プラント内の発電設備、機械設備を連携し、街区内を最適制御するエネルギーマネジメントシステムを導入。※一部抜粋

再エネ自立普及促進事業
再生可能エネルギー電気・熱自立的普及促進事業

自家消費型・地産地消型の再生可能エネルギーの設備導入等を支援してくれる補助金です。固定価格買取制度に依存せず、CO_2削減の費用対効果の高いものが対象です。

補助金額の上限	★★★★★	第6号事業：3億円
補助率の上限	★★★	第6号事業：⑴太陽光発電設備：1／3　⑵陸上風力発電・地熱発電（バイナリー方式以外）設備及び熱利用設備（温泉熱利用設備を除く）：1／3　⑶「⑴」と「⑵」以外：1／2　⑷優遇措置：2／3
補助事業期間（最長）	★★	第6号事業：1年度（一定の条件の下で、2年度にわたる事業も可）
中小企業向き	★★★★	第6号事業：企業規模に関係なく申請できますが、中小企業は太陽光発電設備の上限額が優遇されています（ただし補助率1／3以内）。
採択数	★★★★	第6号事業：71件（2019年）
採択率	★★	第6号事業：32.9%（2019年）

申請タイプ
【補助金】第1号事業～第8号事業　※第6号事業以外は省略

連携	第6号事業：共同申請も可能です。
法認定等	法認定は不要です。
審査方式	書類審査のみ。
対象となる経費	第6号事業：事業を行うために必要な設備費、工事費および事務費、その他必要な経費で協会が承認した経費、業務費（事業に直接必要な機器、設備又はシステム等に係る調査、設計、製作、試験及び検証に要する経費）

公募期間	1次公募：4月25日～6月4日 2次公募：8月1日～9月3日（2019年）	最新の公募要領 成長戦略データベース
問い合わせ先	環境省　大臣官房　環境計画課　地域循環共生圏推進室 TEL：03-5521-8233（直通）	

この補助金には、第1号事業から第8号事業の支援事業メニューがありますが、ここでは、民間事業者（営利法人及び青色申告の個人事業主）のみを対象とし、採択数も多く活用しやすい第6号事業（再生可能エネルギー事業者支援事業費）を紹介します。

再生可能エネルギーの発電や熱利用の設備導入を行う事業が対象で、以下の設備が例示されています。

太陽光発電、風力発電、バイオマス（発電、熱利用、発電・熱利用）、水力発電、地熱（発電、熱利用（温泉熱に限る）、発電・熱利用）、太陽熱利用、地中熱利用、温度差エネルギー利用、雪氷熱利用、バイオマス燃料製造（単独では申請不可）、蓄電池（単独では申請不可）

2019年から太陽光発電設備、太陽熱利用設備、蓄エネルギーが対象に加わりました。採択結果をみると、人気のある太陽光発電設備の導入が大多数を占めていますが、太陽光発電設備や前ページ(2)以外の設備の導入には、地方公共団体の定める温対法に基づく地方公共団体実行計画または再生可能エネルギー計画に位置付けられている等の場合は補助率が3分の2になる優遇措置があります。

省エネ

採択事例　※第6号事業の採択事例

・大江工場バイオガス化発電・熱利用設備導入事業
ガス発電機50kW×3台　　　　　　　　　　　マルハニチロ株式会社
・海諷廊温泉排湯熱利用によるヒートポンプ導入事業
HP能力：加熱能力62.8kW、貯湯槽12㎡（給湯）　株式会社稲取赤尾ホテル
・木質バイオマスチップボイラーの導入による地域循環事業
木質チップボイラ260kW、蓄熱タンク4㎡（給湯）
　　　　　　　TLCゴルフリゾート株式会社／株式会社東急リゾートサービス
・みなみ野工場向太陽光発電設備導入事業
太陽光発電100kW　　　　　　　　　　　　株式会社大島椿本舗

廃熱・湧水活用

廃熱・湧水等の未利用資源の効率的活用による低炭素社会システム整備推進事業

未利用な資源を効率的に活用した低炭素型の社会システムを整備するために、エネルギー起源CO_2の排出を抑制する設備等の導入を支援してくれる補助金です。

補助金額の上限	★★★★★	上限額なし
補助率の上限	★★★★	①中小企業2／3　それ以外の民間企業1／2 ②民間企業1／2　③1／2
補助事業期間 （最長）	★★★★	①2年度　②1年度　③2年度
中小企業向き	★★★★	企業規模に関係なく申請できますが、①では、中小企業は補助率が優遇されています。
採択数	★★★	1次公募：23件　2次公募：7件　／①9件　②19件 ③2件　／合計：30件（2019年）
採択率	★★★★	1次公募：76.7%　2次公募：77.8%（2019年）

申請タイプ

【補助金】①社会SI（地域の未利用資源等を活用した社会システムイノベーション推進事業）
【補助金】②融雪（低炭素型の融雪設備導入支援事業）
【補助金】③熱供給（地域熱供給促進支援事業）

連携	共同申請も可能です。
法認定等	法認定は不要です。
審査方式	書類審査のみ。
対象となる経費	工事費（本工事費、付帯工事費、機械器具費、測量及試験費）、設備費、業務費、事務費、その他

公募期間	1次公募：①③4月19日〜5月31日 　　　　　②5月20日〜6月14日 2次公募：①②③7月22日〜年8月9日　（2019年）
問い合わせ先	環境省　地球環境局　地球温暖化対策課　地球温暖化対策事業室　TEL：03-5521-8339

最新の公募要領

成長戦略データベース

補助事業の実施により、エネルギー起源二酸化炭素の排出量が確実に削減されることが重要です。申請書では、補助事業の具体的計画内容および算出過程も含む二酸化炭素の削減量の根拠、考え方を明示する必要があります。

　申請タイプは①社会SI、②融雪、③熱供給の3つに分かれています。
　①は、地域で未利用な、または効果的に活用されていない熱や湧水等の資源の効果的利用および効率的な配給システム等、地域単位の低炭素化を大きく推進する先進的でモデル的な取組に必要な設備等の導入を行う事業（バイオマス資源の利用は除く）が対象です。
　②は、⒜地中熱、地下水熱、温泉熱、下水熱または工場等温排熱等を熱源とし、熱交換器やヒートパイプ等を用いて、融雪設備を導入する事業と、⒝バイオマスのみを熱源とするボイラ等により発生した熱を用いた融雪設備を導入する事業が対象です（いずれも散水方式は除く）。
　③は、地域熱供給事業において、コスト効率的な地域熱供給を実現するための高効率型電動熱源機を導入する事業（熱供給事業法の規定により登録された熱供給事業者によるもの）が対象です。

　①②③とも、ファイナンスリースの利用も可能です。
　審査項目は申請タイプごとに異なっていますので注意しましょう。

採択事例
①社会SI（地域の未利用資源等を活用した社会システムイノベーション推進事業）
　　小城製薬株式会社（京都府亀岡市）　　　さが医院（秋田県秋田市）
　　三光株式会社（島根県松江市）　　　　　株式会社アシスト（山形県村山市）
　　未来工業株式会社（茨城県常陸大宮市）
②融雪（低炭素型の融雪設備導入支援事業）
　　株式会社北海道イノアック（北海道美唄市）
　　医療法人社団芳優会（山形県山形市）　　株式会社伊徳（秋田県潟上市）
　　株式会社クリーンテック（福島県福島市）
③熱供給（地域熱供給促進支援事業）
　　株式会社立川都市センター（東京都立川市）
　　丸の内熱供給株式会社（東京都千代田区）

82 全国 ZEB実証事業（経済産業省）

ネット・ゼロ・エネルギー・ビル実証事業

ZEBの構成要素となる、高性能建材や高性能設備機器等の導入に使える補助金です。経産省ZEB（大規模建築物が対象）と環境省ZEB（中小規模建築物が対象）があります。

補助金額の上限	★★★★★	5億円（複数年度事業の場合は10億円）
補助率の上限	★★★★	2／3
補助事業期間（最長）	★★	1年度　※1年度では事業完了が不可能な場合に限り、複数年度事業も可（3年度）。
中小企業向き	★★★	企業規模に関係なく申請できます。
採択数	★★	9件（2019年）
採択率	★★★★	69.2%（2019年）

申請タイプ
【補助金】

連携	共同申請も可能です。
法認定等	法認定は不要です。
審査方式	書類審査のみ。
対象となる経費	設計費（実施設計費用、第三者評価機関による認証取得費用）、設備費（高性能建材、空調、換気、照明、給湯等の機器およびBEMS装置、蓄電システム等の設備費用）、工事費（補助対象設備の導入に不可欠な工事費用）

公募期間	5月27日～6月20日（2019年）
問い合わせ先	経済産業省　資源エネルギー庁　省エネルギー・新エネルギー部　省エネルギー課　TEL：03-3501-9726 E-mail：shouene-dounyushien@meti.go.jp

最新の公募要領

成長戦略データベース

ZEBとは、ネット・ゼロ・エネルギー・ビルの略で、全体でエネルギー消費量の収支をゼロにすることを目指した建築物のことです。

採択枠には、事務所等、ホテル等、病院等、百貨店等、学校等、集会所等、があり、採択枠にない用途のもの（工場等、飲食店等、住宅等）は対象外になります。

経産省ZEBでは、民間建築物で、延べ面積10,000㎡以上の新築と、延べ面積2,000㎡以上の既存建築物（増築・改築・設備改修）が対象で、それ未満の民間建築物や、地方公共団体の建築物（延べ面積の制限なし）の場合は環境省ZEBになります。

審査は、ZEB達成度とZEB技術導入に伴うコスト増を踏まえた費用対効果等の評価によって行われますが、1つの採択枠に偏らないような選出方法が取られていますので、採択枠によって競争率に違いがあるのが実情です。

加点項目として、公益社団法人空気調和・衛生工学会が公表している「WEBPRO未評価技術9項目の導入」があり、導入した項目数に応じて加点されます（新築の場合は2項目以上導入している場合に加点）。

申請には、「ZEBプランナー」の関与が必須です。ZEBプランナーとは、ZEBに関する業務支援（建築設計、設備設計、設計施工、省エネ設計、コンサルティング等）を行う業者で、登録制となっており、全国で150件（2019年3月末時点）あります。よいZEBプランナーと組めるかどうかも重要なポイントとなるでしょう。

採択事例

【新築】
・（仮称）グリーンモールホテル棟新築ZEB化事業
・ロイヤルホームセンター戸田公園新築工事ZEB化事業
・九州旅客鉄道株式会社社員研修センターZEB化事業
・文教大学東京あだちキャンパス建築計画ZEB化事業

【既存建築物】
・メガセンタートライアル伏古店ZEB化事業
・博多駅南RビルZEB化改修工事
・ベルモニー会館天山ZEB実証事業
・京都橘学園管理・教室棟ZEB化事業

省エネ

ZEB実証事業（環境省）
ZEB実現に向けた先進的省エネルギー建築物実証事業

ZEBの構成要素となる、高性能建材や高性能設備機器等の導入に使える補助金です。経産省ZEB（大規模建築物が対象）と環境省ZEB（中小規模建築物が対象）があります。

補助金額の上限	★★★★★	（民間建築物の場合）①【新築】2,000㎡未満：3億円 2,000㎡以上：5億円　【既設】3億円　②【新築】2,000㎡未満：「3万円／㎡（延べ面積）」と「2／3」の少ない方の額　2,000㎡以上：5億円　【既設】3億円
補助率の上限	★★★★	（民間建築物の場合）①2／3　②【新築】2,000㎡未満：補助金額欄参照　2,000㎡以上：1／2　【既設】1／2
補助事業期間（最長）	★★	1年度 ※複数年度も可（2年度。延べ面積2,000㎡以上は3年度）
中小企業向き	★★★	企業規模に関係なく申請できます。
採択数	★★★	①23件（うちZEB　6件、Nearly ZEB　17件） ②11件　合計：34件（2019年）
採択率	————	不明（2019年）

申請タイプ
【補助金】①ZEB、Nearly ZEB実現に向けた先進的省エネルギー建築物実証事業
【補助金】②ZEB Ready普及に向けた先進的省エネルギー建築物支援事業

連携	共同申請も可能です。
法認定等	法認定は不要です。
審査方式	書類審査のみ。
対象となる経費	設計費（建築設計、設備設計等の実施設計費、ZEB認証費用）、設備費（機械装置・高性能な建築材料・計測装置等の購入、製造（改修を含む）等に要する経費（土地取得費、賃借料を除く））、工事費、事務費

公募期間	4月22日〜5月27日（2019年）
問い合わせ先	環境省　地球環境局　地球温暖化対策課　地球温暖化対策事業室　TEL：03-5521-8355

最新の公募要領

成長戦略データベース

ZEBとは、ネット・ゼロ・エネルギー・ビルの略で、全体でエネルギー消費量の収支をゼロにすることを目指した建築物のことです。

採択枠には、事務所等、ホテル等、病院等、百貨店等、学校等、集会所等、があり、採択枠にない用途のもの（工場等、飲食店等、住宅等）は対象外になります。

環境省ZEBでは、民間建築物で、延べ面積10,000㎡未満の新築と、延べ面積2,000㎡未満の既存建築物（増築・改築・設備改修）、それに加えて地方公共団体の建築物（延べ面積の制限なし）が対象です。延べ面積がそれ以上の民間建築物は経産省ZEBになります。

2019年の公募では、「①ZEB・Nearly ZEB実現」と「②ZEB Ready普及」の申請タイプに分かれ、ZEB Ready事業の交付額の算定方法が変更されました。採択枠の撤廃、延べ面積2,000㎡以上の建築物の3年度申請可、事業報告書提出義務の一部緩和等がおこなわれ、以前より活用しやすくなって来ています。

審査基準は、公募後に開催される審査委員会において決定されるため、公募要領には記載がありませんが、前年度の審査基準が配点も含め公表されていますので、ぜひ参考にしましょう。

なお、CLT（直交型集成板）を使用した建物だけは、優先採択枠が残っており有利です。また、学校の場合、エコスクール・プラス（環境を配慮した学校施設）の認定を受けている場合は有利になります。

申請には、「ZEBプランナー」の関与が必須です。よいZEBプランナーと組めるかどうかも重要なポイントになるでしょう。

省エネ

採択事例

・神成防災社屋（富山県）（事務所等／ZEB）　　　　神成防災有限会社
・ひがしの大空保育園（沖縄県）（学校等／Nearly ZEB）
　　　　　　　　　　　　　　　　　　　　社会福祉法人友和福祉会
・ラシク金沢（石川県）（ホテル等／ZEB Ready）　　株式会社アリスト
・朝倉医療総合施設（高知県）（病院等／ZEB Ready）　医療法人仁泉会
・ユニオン経塚店（沖縄県）（百貨店等／Nearly ZEB）
　　　　三井住友ファイナンス＆リース株式会社／株式会社野嵩商会

84 全国 省CO2改修（民間建築物）

民間建築物等における省CO2改修支援事業

既存の業務用民間建築物等に対し、省CO2性の高い設備等の導入（更新）を支援してくれる補助金です。導入前よりCO2排出量を30％以上削減できることが要件です。

補助金額の上限	★★★★	5,000万円
補助率の上限	★★★	1／2
補助事業期間（最長）	★★	1年度
中小企業向き	★★★	企業規模に関係なく申請できます。
採択数	★★★	1次公募：32件　2次公募：4件 合計：36件（2019年）
採択率	———	不明（2019年）

申請タイプ
【補助金】

連携	共同申請も可能です。
法認定等	法認定は不要です。
審査方式	書類審査のみ。
対象となる経費	設備費、工事費（補助対象設備等の導入に不可欠な工事に要する経費）、事務費

公募期間	1次公募：4月22日～5月27日 2次公募：8月26日～9月24日（2019年）	最新の公募要領 成長戦略データベース
問い合わせ先	環境省　地球環境局　地球温暖化対策課　地球温暖化対策事業室　TEL：03-5521-8355	

事務所等、ホテル等、病院等、百貨店等、学校等、飲食店等、集会所等が対象です。住宅、工場、倉庫等は対象外です。

　CO_2排出量の30％以上削減の他に、更新前の設備よりもエネルギー消費効率が高いものを選択すること、設備区分（空調設備、照明設備等の区分）ごとに増エネになっていないこと等も要件です。

　さらに2019年からは、「運用改善によりさらなる省エネの実現を目的とした体制の構築」が要件として追加されました。改修後のエネルギー使用量の計測・分析・評価による、継続的な省エネが実現できる体制の構築が必要です。

　その例としては、社内会議（委員会等）の設置や、外部事業者（ESCO事業者、エネマネ事業者等）への委託契約、エコアクション21、ISO50001 等の認証等があげられていますが、審査ポイントにもなっているので、しっかりとした体制の構築をアピールしたいところです。

　補助対象となる設備は、照明設備、空調設備、空調・給湯設備、換気設備、電源、ガス、BEM・測定機器、再生可能・未利用エネルギー利用設備等です（照明設備のみの改修は認められません）。

　L2-Tech製品は審査の際に加点対象となりますが、最新版のリストに掲載の製品が対象ですのでご注意ください。

省エネ

採択事例
・ホテルリッチ＆ガーデン酒田（山形県）　　　　　　株式会社ホテルリッチ酒田
・高森ショッピングセンターアスカ（熊本県）

　　　　　　　　　　　　　　　　　協同組合高森ショッピングセンター
・介護老人福祉施設夢御殿山（兵庫県）　　　　社会福祉法人宝塚御殿山福祉会
・北杜学園中央校舎本館（宮城県）　　　　　　　　　　　学校法人北杜学園
・東可児病院（岐阜県）　　　　　　株式会社日医リース・医療法人社団慶桜会

85 既存建築物省エネ化（改修工事）

全国

既存建築物省エネ化推進事業（建築物の改修工事）

既存のオフィスビル、病院・福祉施設、学校等の建築物の省エネルギー改修工事を支援してくれる補助金です。同時に実施するバリアフリー改修工事も対象となります。

補助金額の上限	★★★★	5,000万円（設備改修費は2,500万円まで） ※バリアフリー改修も行う場合は加算あり
補助率の上限	★★	1／3
補助事業期間 （最長）	★★	1年度
中小企業向き	★★★	企業規模に関係なく申請できます。
採択数	★★★★	第1回：38件　第2回：43件　合計：81件（2019年）
採択率	★★★	第1回：40.4%　第2回：71.7%（2019年）

申請タイプ
【補助金】

連携	共同申請も可能です。
法認定等	法認定は不要です。
審査方式	書類審査のみ。
対象となる経費	省エネルギー改修工事に要する費用、エネルギー使用量の計測等に要する費用、バリアフリー改修工事に要する費用（省エネルギー改修工事と併せて行う場合に限る）、省エネルギー性能の表示に要する費用

公募期間	第1回：4月15日〜5月27日 第2回：7月16日〜8月28日（2019年）	最新の公募要領 成長戦略データベース
問い合わせ先	国土交通省　住宅局　住宅生産課 TEL：03-5253-8111（内線39-429・39-437）	

長年続いている定番の補助金です。オフィスビル（事務所）、病院・福祉施設、学校等の既存建築物の省エネルギー改修が対象です。

　建物全体におけるエネルギー消費量が、改修前と比較して20％以上の省エネ効果が見込まれる改修工事を行うものであること（ただし、躯体（外皮）の改修面積割合が20％を超える場合は、15％以上の省エネ効果）が要件です。

　以下は対象となりませんのでご注意ください（間違えられがちなものをまとめました）。

・工場・実験施設・倉庫等の生産用設備がある建築物
・住宅
・構造躯体（外皮）の改修を行わないもの
・バリアフリー改修のみ行うもの
・後付の家電等の交換等
・太陽光発電設備

採択事例

自社・テナントビル（香川県）

・南面・西面の窓全面を断熱性能の高い高性能複層ガラスへ改修することにより、ビル全体の熱負荷を低減し、快適性の向上と省エネ化を図る。
・既存空調機を最新の省エネ高効率型空調機へ更新し、同時に室内機のレイアウト改善、気流制御の導入により、空調容量のサイズダウンを行う。ムダをなくしながら快適性向上とさらなる省エネ化を図る。
・既存照明のLED化により、省エネ、長寿命化を図る。

老人保健施設（横浜市）

・竣工後14年以上を経過しており、効率低下によるエネルギー消費の増加が想定される。屋上断熱の強化や高効率設備機器への更新を行うことにより、エネルギー消費を削減し、省エネルギー化を図る。
・建築物の省エネ性能の向上とともに、施設理念である「利用者様の立場に立って質の高い最良のサービスを提供」するための空間構築を目指す。

保育園（横浜市）

・屋根面の防水工事に合わせて断熱材を敷設し、断熱性能を強化する。
・北面の窓ガラスに日射調整フィルムを貼付する。
・老朽化により機器効率の低下した空調機を最新の高効率空調機に更新する。
・蛍光灯設備を LED 照明に更新する。

省エネ

223

LED照明
LED照明等節電促進助成金

中小の製造業者を対象に、首都圏にある自社工場への節電対策設備（LED照明器具、デマンド監視装置等）の導入を支援してくれる補助金です。

補助金額の上限	★★★	1,500万円
補助率の上限	★★★	1／2
補助事業期間（最長）	★★	4ヶ月
中小企業向き	★★★★★	東京都内で製造業を営んでいる中小企業を対象とした補助金です。
採択数	★★★	45件（2018年）
採択率	★★★★★	95.7％（2018年）

申請タイプ
【補助金】

連携	単独申請が原則です。
法認定等	法認定は不要です。
審査方式	書類審査に加え、必要に応じて現地調査が行われる場合があります。
対象となる経費	設備の購入費、工事費等（材料費、消耗品、雑材料費、直接仮設費、労務費、総合試験調整費、立会検査費、設備搬入費等、助成対象設備の設置に直接必要な経費）

公募期間	5月18日〜25日、6月23日〜30日、9月10日〜18日、12月8日〜15日 ※予算額に達した時点で終了（2020年）	最新の公募要領 成長戦略データベース
問い合わせ先	公益財団法人東京都中小企業振興公社　企画管理部　設備支援課　TEL：03-3251-7889	

大手メーカーの蛍光灯生産中止、水銀灯の製造・輸入入の禁止等を背景に、工場におけるLED照明器具の導入を促進することを目的とした、東京都の補助金です。

東京都内に本社があれば、首都圏（茨城県、栃木県、群馬県、埼玉県、千葉県、神奈川県、山梨県）の工場にも活用できます。

LED照明器具の他、デマンド監視装置、進相コンデンサ、インバータ、それら設備を運用するために必要となる付帯設備が対象になります。リースや割賦での設置は対象になりません。また、LED管のみの交換（器具を交換しないもの）は対象になりません。

申請前に、この補助金の事務局である、東京都中小企業振興公社のおこなう節電診断（無料）を受ける必要があります。節電診断とは、節電促進アドバイザーが現地を訪れ、ヒアリング調査、現地確認等を行ったうえで、適切な節電アドバイスを行うとともに、経営状況に応じた適切な事業計画が策定されるよう、計画中の節電対策事業の診断業務を行うものです。

節電診断は節電効果を判断するためのものなので、診断時には、導入する予定のLED等の仕様等がある程度決まっている必要があります。終了時に受け取る診断報告書が補助金の申請時に必要になります。

審査は、機器等を導入した場合の効果、機器等の導入の必要性、機器等の価格の妥当性、経営面（決算内容・企業概要）等の観点から総合的に判断され行われます。

国の省エネ補助金に比べ知名度が高くないため、採択率は95.7%（2018年）となっていますが、一般に補助金は、知名度が増すにつれ、競争率も高くなる傾向があります。また、工場におけるLED照明の普及に伴い、この補助金自体が廃止される可能性もありますので、早めに活用した方がいいでしょう。

補助事業期間は交付決定日から4ヶ月以内です。この期間内に、工事業者等との契約、発注、工事、代金支払い等を完了させなくてはなりませんので、ご注意ください。事業完了後は5年間、設備の稼働状況等について報告義務があります。

なお、この補助金が活用（受給）できるのは1回限りです。補助対象となる設備は、この機会にまとめて導入することをお勧めします。

第11章

防災・復興・危機管理
に関する補助金

グループ補助金

中小企業等グループ施設等復旧整備補助事業

被災した中小企業の施設や設備の復旧を支援してくれる補助金です。事前に
グループを形成し、復興事業計画を策定することが必要なことから、グルー
プ補助金と呼ばれています。

補助金額の上限	★★★★★	15億円
補助率の上限	★★★★	中小企業：3／4　中堅企業（みなし中堅企業を含む）および大企業（みなし大企業を含む）：1／2
補助事業期間（最長）	★★	1年度
中小企業向き	★★★★★	中小企業だけでなく、中堅企業も申請できます（大企業も申請できる場合あり）。中小企業は補助率が優遇されています。
採択数	——	不明（未集計）
採択率	——	不明（未集計）

申請タイプ
【補助金】

連携	復興事業計画の認定においては、中小企業グループでの申請が必須です。
法認定等	「復興事業計画」の認定が必要です。
審査方式	書類審査のみ。
対象となる経費	施設、設備、宿舎整備のための事業、商業機能の復旧促進のための事業に要する、資材・工事費、設備の調達や移転設置費、取壊し・撤去費、整地・排土費等

公募期間	被災都道府県が設定
問い合わせ先	経済産業省　中小企業庁　経営支援部　経営支援課 TEL：03-3501-1763（直通）

最新の公募要領

成長戦略データベース

東日本大震災を受けて創設されたグループ補助金は、その後、熊本地震（2016年）、西日本豪雨（2018年）、台風第19号（2019年）にも適用され、大規模災害で被災した多くの中小企業に活用されています。

今後もこれらと同程度の大規模な災害が起こった場合には、適用される可能性が高いので、覚えておいて損はないでしょう。

制度が少しわかりにくいのですが、まず中小企業等のグループを形成した上で「復興事業計画」を策定し、グループとして計画の認定を申請します。その計画が認定を受けたら、今度は、グループに所属する個々の企業がそれぞれ補助金の交付の申請をする、という2段構えになっています。

復興事業計画の認定申請と補助金の交付申請は、同時に行うこともできます（ただし、計画が認定されない場合は、補助金は交付されません）。

復興事業計画は比較的容易に認定されますが、補助金の交付にあたっては詳細な審査が行われ、認定された計画の金額が減額されることもあります。補助金の申請書の作成や、実際の復旧作業は、細心の注意を払って行いましょう。

大企業やみなし大企業でも、中小企業や中堅企業に対して営業上必要な施設・設備を被災前から賃貸していた場合は、それら中小企業や中堅企業とグループを作ることによって、この補助金を活用することができます。

採択事例　※平成30年7月豪雨グループ補助金（愛媛県）の採択事例
・グループ名：松山地区の豪雨災害からの復旧・復興支援グループ

　　　　　　　　　　　　　　　　　　　　　　　　　　有限会社松栄
・グループ名：愛媛銀行豪雨災害復興企業グループ

　　　　　　　　　　　　愛媛フーズ株式会社／西武観光株式会社
・グループ名：北条製造業復興グループ　　　　　　　坂本木材有限会社
・グループ名：JAグループ愛媛南予地区復旧・復興プロジェクト

　　　　　　　　愛媛たいき農業協同組合／JA三井リース株式会社／

　　　　　　　　JA三井リースオート株式会社
・グループ名：媛警協グループ　　　　　　　　信和警備保障株式会社
・グループ名：大洲・西予地区トラック復興グループ　　四国運輸有限会社

88 災害対応中小自家発電設備

全国

中小企業・小規模事業者自家用発電設備等利用促進対策事業

石油製品等を用いる自家用発電設備等の設置に使える補助金です。災害時にも機能を維持することが必要な事業用施設の、エネルギー供給源の確保を目的としています。

補助金額の上限	★★★★	5,000万円
補助率の上限	★★★★	2／3
補助事業期間（最長）	★★	1年度
中小企業向き	★★★★★	中小企業を主な対象とした補助金です。
採択数	★★★★★	1次公募：120件　2次公募：40件 合計：160件（2019年）
採択率	────	不明（2019年）

申請タイプ
【補助金】

連携	単独申請が原則ですが、リース会社との共同申請は可能です。
法認定等	法認定は不要です。
審査方式	書類審査のみ。
対象となる経費	設備費、設置工事費

公募期間	1次公募　5月10日～6月28日 2次公募　7月23日～8月23日（2019年）
問い合わせ先	経済産業省　中小企業庁　事業環境部　経営安定対策室 TEL：03-3501-0459（直通）

最新の公募要領

成長戦略データベース

大規模災害時等に系統電力等の供給が途絶した際に、生活必需品の供給やサプライチェーン維持等のための重要な事業が中断することのないような体制の確保が求められています。

　この補助金は、そのような事業の継続に必要な工場・事業所に設置する自家発電機とそれに接続する石油タンク等の導入を支援してくれるものです。

　そのため、以下のような申請者は加点され優先的に採択されます。

・国や自治体と防災・支援協定を締結している者
・災害救助法に規定する生活必需品、または飲食料品の供給に資する事業を行う者
・災害対策基本法等で国が指定した地震防災の対策強化地域等に設備を導入する者

　災害救助法では生活必需品として以下の品目が例示されています。

・タオルケット、毛布、布団等の寝具
・洋服上下、子供服等の上着、シャツ、パンツ等の下着
・タオル、靴下、靴、サンダル、傘等の身の回り品
・石鹸、歯磨用品、ティッシュペーパー、トイレットペーパー等の日用品
・炊飯器、鍋、包丁、ガス器具等の調理道具
・茶碗、皿、箸等の食器
・マッチ、使い捨てライター、プロパンガス、固形燃料等の光熱材料
・高齢者、障害者等の日常生活上の支援を行うために必要な紙おむつ、ストーマ用装具等の消耗器材

　補助金の対象となる設備は、「自家発電機」と「それに接続する石油製品（ガソリン、灯油、軽油、重油、石油ガス）を貯蔵する容器等」で、どちらも設置しなければなりません。ただし、どちらかを既に設置・購入している場合は、片方だけの申請も可能です。どちらについても、それぞれ指定された仕様を満たすものが対象ですので確認が必要です。

採択事例

北海道地域：45件	東北地域：12件	関東地域：38件	中部地域：24件
近畿地域：9件	中国地域：13件	四国地域：3件	九州地域：16件
沖縄地域：0件			

自立・分散型エネルギー設備

地域の防災・減災と低炭素化を同時実現する自立・分散型エネルギー設備等導入推進事業

防災・減災に資する再生可能エネルギー設備、未利用エネルギー活用設備、コジェネレーションシステム、蓄電池等を導入する事業を支援してくれる補助金です。

補助金額の上限	★★★★★	②−1：上限額なし　②−2：新築民間建築物　3〜5億円（延床面積による）　既設民間建築物　3億円
補助率の上限	★★★	②−1：1／2　②−2：2／3
補助事業期間（最長）	★★	1年度
中小企業向き	★★★	企業規模に関係なく申請できます。
採択数	★★★★★	①：76件　②−1：63件　②−2：24件 合計：163件（2019年）
採択率	———	不明（2019年）

申請タイプ
【補助金】①第1号事業　※省略 【補助金】②−1：第2号事業の1 【補助金】②−2：第2号事業の2

連携	②では、ESCO事業者・リース事業者との共同申請が可能です。
法認定等	法認定は不要です。
審査方式	書類審査のみ。
対象となる経費	工事費（本工事費、付帯工事費、機械器具費、測量及試験費）、設備費、業務費、事務費

公募期間	3月〜10月の間、毎月公募あり（2019年）
問い合わせ先	環境省　大臣官房　環境計画課　地域循環共生圏推進室 TEL：03-5521-8232（直通）

最新の公募要領

成長戦略データベース

申請タイプの①は公共施設を対象としており、民間企業は地方公共団体等と共同申請する場合しか申請できませんのでここでは割愛します。

　民間事業者が単独でも申請できる②は、2つのタイプに分かれています。②－1を一般型とすると、②－2はZEBを目指した事業が対象なので、ZEB型と言えるでしょう。ZEBとは、年間で消費する建築物のエネルギー量を大幅に削減するとともに創エネでエネルギー収支「ゼロ」を目指した建築物のことです。

　どちらも、地域防災計画または地方公共団体との協定により「災害時に地域住民が活用する防災拠点、避難施設および災害時に機能を保持すべき民間施設」と位置付けられた民間施設に、平時の温室効果ガスの排出抑制に加え、災害時にもエネルギー供給等の機能発揮が可能な再生可能エネルギー設備等を導入する事業が対象です。

　防災拠点としては、民間の医療機関・診療施設、物資供給拠点（スーパーマーケット、ドラッグストアなどの小売店）等が、避難施設としては、災害時に避難所、一時避難所として運営可能な施設（事務所、私立学校）等が想定されています。

　②－1で補助の対象となるのは、再生可能エネルギー、未利用エネルギー、コジェネレーションシステム、蓄電池、およびそれらの再生可能エネルギー等から電力または熱の供給を受けて稼働する高効率機器です。

　②－2では、それに加えて、ZEBの達成に必要なその他の省エネ・省CO2性の高いシステムや高性能設備機器等も対象となります。

　医療施設、社会福祉施設の他にも、民間企業が多数採択されています。採択事例にはそのような事例を選びました。

採択事例

②－1：・株式会社カワセ精工　　・株式会社大栄製作所
　　　　・四変テック株式会社　　・高知機型工業株式会社
②－2：・株式会社にしはら　　　・株式会社與儀
　　　　・新協地水株式会社　　　・中村商事合資会社

防災・復興・危機管理

233

BCP（緊急災害時の事業継続計画）を策定した中小企業を対象に、策定した
BCPの実践に必要な物品や設備の導入を支援してくれる補助金です。

補助金額の上限	★★★	1,500万円
補助率の上限	★★★	1／2（小規模企業2／3）
補助事業期間（最長）	★★	4ヶ月
中小企業向き	★★★★★	東京都内に本店・支店のある中小企業を対象とした補助金です。
採択数	★★★	25件（2018年）
採択率	★★★★★	89.3%（2018年）

申請タイプ
【補助金】

連携	単独申請が原則です。
法認定等	法認定は不要です。
審査方式	書類審査に加え、必要に応じて現地調査が行われる場合があります。
対象となる経費	設備等の購入、設置工事等の費用（材料費、消耗品、雑費、直接仮設費、労務費、総合試験調整費、立会検査費、設備搬入費等）、建物の耐震診断に要する費用

公募期間	4月13日〜20日、5月18日〜25日、6月23日〜30日、9月10日〜18日、12月8日〜15日 ※予算額に達した時点で終了（2020年）	最新の公募要領 成長戦略データベース
問い合わせ先	公益財団法人東京都中小企業振興公社　企画管理部 設備支援課　TEL：03-3251-7889	

東京都内に本社があれば、首都圏（茨城県、栃木県、群馬県、埼玉県、千葉県、神奈川県、山梨県）の事業所への設置にも活用できます。

以下のいずれかの要件を満たすBCPが対象です。
⑴ 平成28年度以前の東京都または公益財団法人東京都中小企業振興公社が実施するBCP策定支援事業等の活用により策定したBCP
⑵ 平成29年度以降の公社が実施するBCP策定支援事業のうち、「BCP策定講座」（通称：ステージ1、無料）を受講し、その受講内容を踏まえたBCP

なお、策定されたBCPは、公社指定の基準を満たしている必要があります。
　対象事業として以下が例示されています。ただし、通常の業務でも使用できる設備等の導入は対象外ですのでご注意ください。
・自家発電装置、蓄電池等の設置
・災害発生時に従業員等の安否確認を行うためのシステムの導入
・データ管理用サーバー、データバックアップシステムの導入
・飛散防止フィルム、転倒防止装置等の設置
・従業員用の備蓄品（水・食料等）、簡易トイレ、毛布、浄水器等の購入
・水害対策用物品設備（土嚢、止水板等）の購入・設置
・耐震診断（自社所有の建物耐震診断費用のみが対象。補強設計、改修の費用は対象外）

審査は、申請資格、機器等を導入した場合の効果、機器等の導入の必要性、機器等の価格の妥当性、BCPの内容、経営面（決算内容・企業概要）等の観点から総合的に判断されます。

この補助金が活用（受給）できるのは1回限りです。補助対象となる物品や設備は、この機会にまとめて導入することをお勧めします。

防災・復興・危機管理

91 サイバーセキュリティ

東京

サイバーセキュリティ対策促進助成金

自社の企業秘密や個人情報等を保護する観点から構築した、サイバーセキュリティ対策を実施するための設備等の導入を支援してくれる補助金です。

補助金額の上限	★★★	1,500万円
補助率の上限	★★★	1／2
補助事業期間（最長）	★★	4ヶ月
中小企業向き	★★★★★	東京都内の中小企業を主な対象とした補助金です。
採択数	★★★	22件（2018年）
採択率	★★★★★	84.6%（2018年）

申請タイプ
【補助金】

連携	単独申請が原則です。
法認定等	「SECURITY　ACTION」の「★★二つ星」を宣言していることが申請の要件です。
審査方式	書類審査のみ。
対象となる経費	物品・設備購入費、メール訓練委託費、クラウドサービス利用料等

公募期間	5月18日〜25日、6月23日〜30日、9月10日〜18日、12月8日〜15日 ※予算額に達した時点で終了（2020年）	最新の公募要領 成長戦略データベース
問い合わせ先	公益財団法人東京都中小企業振興公社　企画管理部 設備支援課　TEL：03-3251-7889	

サイバーセキュリティ対策を実施するために必要となる機器等の導入を支援してもらえます。対象となる機器等は以下となっています。

⑴ 統合型アプライアンス（UTM等）

⑵ ネットワーク脅威対策製品（FW、VPN、不正侵入検知システム等）

⑶ コンテンツセキュリティ対策製品（ウィルス対策、スパム対策等）

⑷ アクセス管理製品（シングル・サイン・オン、本人認証等）

⑸ システムセキュリティ管理製品（アクセスログ管理等）

⑹ 暗号化製品（ファイルの暗号化等）

⑺ サーバー（最新のOS搭載かつセキュリティ対策が施されたもの）

⑻ 標的型メール訓練

　IPA（独立行政法人 情報処理推進機構）が実施している「SECURITY ACTION」の「★★二つ星」を宣言していることが申請の要件です。

　「SECURITY ACTION」は中小企業自らが、情報セキュリティ対策に取組むことを自己宣言する制度です。「★★二つ星」を宣言するには、IPAの「5分でできる！情報セキュリティ自社診断」で自社の状況を把握した上で「情報セキュリティ基本方針」を策定するだけでいいので、それほど手間もかかりません。

　「情報セキュリティ基本方針」の策定については、事務局である東京都中小企業振興公社が実施している「情報セキュリティ基本方針策定支援専門家派遣事業」を利用することもできます。1社につき3回まで、費用無料で情報セキュリティの専門家を派遣してくれる制度です。

　この手の補助金の中ではかなり金額が高い補助金ですが、その割には採択率も高くお勧めです。サイバーセキュリティ対策をするなら、一度にまとめて行い、この補助金を活用するのがお勧めです。

防災・復興・危機管理

第12章

まちづくり・
観光
に関する補助金

商店街活性化

商店街活性化・観光消費創出事業

近年大きな伸びを示しているインバウンドや観光等といった新たな需要を効果的に取り込む、商店街や商店街と連携した民間事業者の取組を支援してくれる補助金です。

補助金額の上限	★★★★★	①②合計で2億円（②は200万円）
補助率の上限	★★★★	①2／3　②10／10
補助事業期間（最長）	★★	1年度
中小企業向き	★★★	企業規模に関係なく申請できます。
採択数	★★★★	1次締切：48件　2次締切：32件 合計：80件（2019年）
採択率	―	不明（2019年）

申請タイプ
【補助金】①消費創出事業 【補助金】②専門家派遣事業 ※両方の実施が必須。

連携	民間事業者は、商店街等組織と連携して申請する必要があります。
法認定等	「地域再生法」に定める「商店街活性化促進事業計画」、「中心市街地活性化法」に定める「基本計画」、「地域商店街活性化法」に定める「商店街活性化事業計画」のいずれかの計画に位置づけられている場合（確実な見込みも含む）は、審査で加点されます。
審査方式	書類審査に加え、必要に応じてヒアリングおよび現地調査が行われる場合があります。
対象となる経費	①謝金、旅費、事業費（会議費、施設整備費、施設・設備の撤去に係る経費、店舗等賃借料、内装・設備・施工工事費、店舗改造費、車両の購入・改造に要する経費、無体財産購入費、設営費、運搬費、備品費、借料・損料、消耗品費、印刷製本費、広報費、委託費、外注費、補助員人件費）②謝金、旅費

公募期間	4月2日〜9月13日　1次締切：5月17日 2次締切：7月23日　3次締切：9月13日 ※予算額に達した時点で終了（2019年）
問い合わせ先	経済産業省　中小企業庁　経営支援部　商業課 TEL：03-3501-1929（直通）

最新の公募要領

成長戦略データベース

商店街等組織または、商店街等組織と民間事業者の連携体が申請できます。採択結果を見ると、民間事業者も多く名を連ねています。

　①消費創出事業と②専門家派遣事業がセットになっており、単独で申請することはできません。

　②は、商店街が直面する消費ニーズの変化などの構造的な課題に対応し、商店街の魅力を向上させ、より実効性の高い取組となるように専門家の派遣を受けるものです。①に先立って、必ず実施しなくてはなりません。

　派遣を受ける専門家は、指定の専門家リストから選択するか、それ以外でも、「専門的な知見を有し概ね３年以上の実務経験を有する者」であればOKです（ただし外部者であること）。

　①は、商店街の環境整備やイベント実施等の、消費の喚起につながる実効性のある取組が対象です。ハード事業とソフト事業を併せて実施することも可能です。

　地域のまちづくり計画や観光ビジョン等と整合しており、地方公共団体の密接な関与・協力を得て取り組む事業であることが必要となっているため、市町村等からの関与・協力状況を記載した「地方公共団体からの支援計画書」の提出が必須です。

　また、補助事業の終了後も自立して継続できる事業であることが求められているため、申請時には「補助事業後取組計画」（２〜５年間）の提出も必須となっています。

採択事例

・商店街連合と連携した街中の商業ビルの空き室をホテルにリノベーションする「ビル泊」事業　　　　　静岡市中央商店街連合会／株式会社CSAtravel
・古き時代の栄華に触れる井原デニムで元気なまちの再興事業
　　　　　新町商工連盟／株式会社シャンテ／一般社団法人井原デニムストリート
・醗酵いきづく粋な出雲の町家文化 再興プロジェクト
　　　　　協同組合中町商店会／合同会社スマイルパートナー／旭日酒造有限会社
・天童市の地域資源である「将棋」を活用した天童温泉屋台村設置事業
　　　　　天童温泉協同組合／株式会社DMC天童温泉／株式会社天童ホテル

観光経営力強化
観光経営力強化事業

中小の観光関連事業者による、ICT化・設備導入による生産性向上や、観光分野における新サービス・商品の開発、体験型コンテンツ開発等を支援してくれる補助金です。

補助金額の上限	★★★	①1,500万円　②500万円　※①で、「新サービス・商品開発費」、「集客・販路開拓費」のみの場合は500万円
補助率の上限	★★★	①②1／2
補助事業期間（最長）	★★★★	①2年　②1年
中小企業向き	★★★★★	東京都内の中小企業の観光関連事業者（予定を含む）を対象とした補助金です。
採択数	★★	11件（2018年）
採択率	———	不明（2018年）

申請タイプ
【補助金】①生産性向上・新サービス商品開発等支援 【補助金】②体験型観光支援

連携	単独申請が原則です。
法認定等	法認定は不要です。
審査方式	一次審査（書類審査）を通過した申請者に対して、二次審査（面接審査）が行われます。
対象となる経費	①機械設備導入費、ICT化経費、専門家指導費、新サービス・商品開発費、集客・販路開拓費　②体験型コンテンツ開発費、集客・販路開拓費

公募期間	第1回　申請予約：7月16日～9月2日 　　　　申請書提出：9月4日～9月9日 第2回　申請予約：9月19日～11月29日 　　　　申請書提出：12月3日～12月6日（2019年）	最新の公募要領 成長戦略データベース
問い合わせ先	東京都　産業労働局　観光部　受入環境課 TEL：03-5320-4674	

観光関連事業者の経営力向上（付加価値額の向上や生産性の向上）を図り、東京の観光産業の活性化につなげることを目的とした補助金です。

ICT化・設備導入による生産性向上・新サービス商品開発や集客・販路開拓による消費拡大などの取組を対象とする①と、外国人向け体験型コンテンツ開発の取組（既存コンテンツの拡充や外国人向けカスタマイズ等を含む）を対象とする②の、2つの申請タイプがあります。

どちらも、既存の事業ではなく、新たに実施するものに限ります。また、両方に申請することはできません。

アドバイザー派遣による支援（事業計画のブラッシュアップ・実行支援）と、経費の補助による支援がセットになっています。アドバイザー派遣による支援は、①では必須、②では任意です。

2017年から始まった補助金ですが、比較的活用しやすい②が2019年に新設され、さらに人気が高まったようです。

具体例として、それぞれ以下のようなものがあげられています。

①の具体例

・在庫管理システムの開発、サービスロボット導入等による生産性向上等
・独自の外国人向け飲食メニューの開発、旅行者向け観光アプリの開発、自社製品WEB販売サービスの開始等による消費拡大等

②の具体例

書道体験、陶芸体験、着付け体験、街並み散策体験、人力車体験、自然体験（サイクリング、ハイキング等）、農業体験、料理体験、VR体験などの新規開発、既存コンテンツの拡充や外国人向けカスタマイズ等

採択事例

・日本の高度医療検診・治療ツーリズムで中国人富裕層を集客
株式会社スタービジョン
・検査済証のない物件を用途変更可能にし訪日客向けIOT型和施設に改装
セドナグローバル株式会社
・無人対応可能なGPS搭載自転車レンタルサービス　　　有限会社テクノム
・IOTを活用した、無人チェックインホテル基幹システムの開発　株式会社FIKA
・訪日・在日外国人向け、新しいTOKYOを知る感動体験事業
株式会社SPICE SERVE

まちづくり・観光

臨海副都心まちづくり

臨海副都心まちづくり推進事業

臨海副都心における、「多様な来訪者への対応力向上」「居心地のよい空間づくり」「新たな魅力を付加したにぎわいの創出」を行う民間事業者を支援してくれる補助金です。

補助金額の上限	★★★★	1億円
補助率の上限	★★★	1／2
補助事業期間（最長）	★★	1年度
中小企業向き	★★★	東京都の企業に限らず申請できます。企業規模に関係なく申請できます。
採択数	★★	8件（2018年）
採択率	★★★★★	100.0%（2018年）

申請タイプ

【補助金】①多様な来訪者への対応力向上に資する事業
【補助金】②居心地のよい空間づくりに資する事業
【補助金】③新たな魅力を付加したにぎわいの創出に資する事業
※1つの申請タイプへの異なる内容での複数申請可。
※複数の申請タイプへ申請する場合は、申請タイプごとに申請。

連携	共同申請も可能です。
法認定等	法認定は不要です。
審査方式	書類審査に加え、必要に応じて現地調査や、口頭説明や質疑応答による審査が行われる場合があります。
対象となる経費	建築工事費、改修工事費、備品購入費（1件10万円以上）、実施設計費、委託料、印刷製本費、報償費、施設使用料、旅費、役務費

公募期間	4月2日〜　毎月末締切あり ※予算額に達した時点で終了（2019年）
問い合わせ先	東京都　港湾局　臨海開発部　誘致促進課 TEL：03-5320-5580

最新の公募要領

成長戦略データベース

臨海副都心区域内で行う事業であれば、東京都以外の事業者でも申請できます。複数企業による連携事業も認められます。

　①では、「多言語対応に資する事業」、「バリアフリー化に資する事業」、「臨海副都心の魅力の発信に資する事業」、「回遊性の向上に資する事業」、②では、「暑さ対策に関する事業」、「レストスペースに関する事業」が例示されています。

　2018年の採択率は100％となっていますが、申請前に事務局を訪れ申請内容を相談することが必須となっています。いい加減な計画ではこの時点で門前払いされますので、事前のしっかりとした準備が必要です。

　なお、この補助金およびこの補助金の前身である「東京都臨海副都心MICE拠点化推進事業」と「東京都臨海副都心おもてなし促進事業」の補助を受けて整備した設備、備品等の更新を伴う事業は対象外となります。

採択事例
①外国語による接客サービス提供スタッフ育成研修事業（ダイバーシティ東京プラザ）
　　　　　　　　　　　　　　　　　三井不動産商業マネジメント株式会社
①館内多言語案内サイン事業（アクアシティお台場）
　　　　　　　　　　　　　　　　　三菱地所リテールマネジメント株式会社
①AIコンシェルジュ「infobot」を導入したデジタルサイネージの整備（アクアシティお台場）　　　　　三菱地所リテールマネジメント株式会社
②インフォメーションエリアリニューアル事業（アクアシティお台場）（ユニバーサルデザインのレストスペース設置）
　　　　　　　　　　　　　　　　　三菱地所リテールマネジメント株式会社
③アクアシティお台場館外イルミネーション（アクアシティお台場）
　　　　　　　　　　　　　　　　　三菱地所リテールマネジメント株式会社
③ヴィーナスフォート館内アートスポット（ヴィーナスフォート）
　　　　　　　　　　　　　　　　　　　　　　　森ビル株式会社

まちづくり・観光

245

95 ナイトライフ観光

東京

ナイトライフ観光振興助成金

夜間の時間帯を生かした観光資源の開発・発信を推進し、東京を訪れる外国人旅行者が楽しめる、ナイトライフイベントや地域のナイトライフ観光振興を支援してくれる補助金です。

補助金額の上限	★★★★	①1億円　②500万円
補助率の上限	★★★★	①②2／3
補助事業期間（最長）	★★★	1年
中小企業向き	★★★	東京都の企業に限らず申請できます。企業規模に関係なく申請できます。
採択数	★★	①：5件　②：3件　合計：8件（2019年）
採択率	———	不明（2019年）

申請タイプ
【補助金】①通年計画で実施する新たなイベント等への支援
【補助金】②地域の新たなナイトライフの取組への支援

連携	民間事業者は2社以上の共同申請が必須です。
法認定等	法認定は不要です。
審査方式	一次審査（書類審査）を通過した申請者に対して、二次審査（プレゼンテーション審査）が行われます。
対象となる経費	会場設営及び運営委託に要する経費、機材・設備・備品の賃借料又は購入費、消耗品の購入費、出演料、広報宣伝費、交通手段の確保に関わる経費、その他

公募期間	6月3日〜7月19日（2019年）
問い合わせ先	東京都　産業労働局　観光部　振興課 TEL：03-5320-4768

最新の公募要領

成長戦略データベース

①通年計画で実施する新たなイベント等への支援と、②地域の新たなナイトライフの取組への支援の２つの申請タイプがあります。

　①は、「この時に、ここに行けば、ナイトライフを楽しめる」と思われるような、地域の特長を生かした新たなナイトライフイベント等の取組、②は、地域が新たに取り組むナイトライフ観光の振興に向けた取組が支援対象です（申請は、①②どちらか一方しかできません）。

　①では、「年間を通じて、原則、同一の場所で定期的に開催するもの」、「日没後から20時00分以降まで実施し、多くの観光客を集客するイベント」等の他、いくつかの条件があります。

　②では、広報・PR（ナイトライフ観光冊子の作成、PR活動）やイベントの実施が対象です。イベントの場合は、①と異なり１回のみの事業も対象となります。

　①②ともイベントの実施には、地域の区市町村より推薦があることが条件です。

　なお、事業の実施に伴い収入があり、補助金を受けることによって収益が生ずる場合は、補助金の額から収益相当額が差し引かれます。

採択事例

①京橋地域の施設「京橋エドグラン」のオープンスペースで、和楽器を中心とした無料の音楽ライブや体験イベントを開催　　　　日本土地建物株式会社　他

①浅草地域の劇場において、忍者をテーマとしたイリュージョンライブショーを開催　　　　　　　　　　　　　　　　　　　　　　株式会社indi　他

②渋谷区に点在するアートギャラリーと、クラブやDJバーのナイトスポットを自由に周遊できるイベントを開催　　株式会社THINK GREEN PRODUCE　他

TOKYO旅館ブランド
TOKYO旅館ブランド構築・発信事業補助金

「旅館」を中心とした地域グループが実施する、旅館ブランドの構築に向けた外国人旅行者誘致の新たな取組を支援してくれる補助金です。

補助金額の上限	★★★	3,000万円（1,000万円×3年）／グループ
補助率の上限	★★★★	2／3
補助事業期間（最長）	★★★★★	3年度
中小企業向き	★★★	東京都内の旅館を含む事業者を含む地域グループが対象です。企業規模に関係なく申請できます。
採択数	★	1件（2018年）　4件（2017年）
採択率	———	不明（2019年）

申請タイプ
【補助金】

連携	「地域グループ」としての申請が必須です。
法認定等	法認定は不要です。
審査方式	書類審査のみ。
対象となる経費	催事費、調査費、印刷製本費、広告宣伝費、備品等（機械・器具など）の賃借料または購入費、施設の設置・改修および撤去に係る工事費、施設案内板等の固定的施設の購入費または設置費、施設・設備設置用の土地および建物の賃借料、委託料等

公募期間	9月20日〜12月13日（2019年）	最新の公募要領
問い合わせ先	東京都　産業労働局　観光部　受入環境課 TEL：03-5320-4802	 成長戦略データベース

「地域グループ」での申請が必須です。この補助金でいう「地域グループ」とは、東京都内で旅館を営む事業者とその旅館周辺地域等で営業する施設等を持つ複数事業者で構成するグループのことをいいます。

　想定される事業内容が多数例示されていますが、審査では独自性も評価ポイントになっていますので、例示されているものを行う場合でも、独自性を持たせる方がよいでしょう。例示されている事業内容の中で、比較的独自性を持たせやすいものをご参考までに以下に抜粋します。

・地域グループ内の飲食店等との協働による泊食分離の導入
・地域グループ内の商店と連携した宿泊者に対する各種割引サービスの実施
・旅館を中心に地域の観光スポットをめぐるモデルルートの造成
・地域の魅力や文化を活かしたイベントの実施
・ICTを活用した観光情報発信
・地域の景観における「和」の空間整備

　審査は、書類審査のみとなり、妥当性、独自性、新規性、継続性、履行の確実性、事業効果等の視点から行われます。なお、「新たな取組」が対象ですので、既存の取組について、チラシ、ポスター等の作成のみを行う事業は対象外です。

採択事例

・西新宿プラザ通り等において、キッチンカーによるオープンカフェ、イルミネーション等を実施／イベント期間中、近隣宿泊施設の宿泊者に向けて日本文化や地域文化等を情報発信
　　　グループ名：西新宿１丁目賑わい創出（代表企業：竹川観光株式会社）
・宿泊施設のフロントにて宿泊者限定の銭湯券を割引販売／エリア内の宿泊施設・銭湯等の位置を示したマップや入浴方法の案内冊子等を配布し、地域の回遊性を向上
　　　グループ名：下町庶民文化継承チーム（代表企業：行燈有限会社）
・宿泊施設内にアートで「柴又」を表現し、SNSを活用して海外へ魅力を発信／近隣の商店街と連携し、「マップ」「クーポン」「音声ガイド（通訳）アプリ」を整備し、泊食分離を促進／柴又を起点としたパッケージツアーの企画、訪日教育旅行の誘致
　　　グループ名：柴又エリア活性化グループ（代表企業：株式会社R.project）

まちづくり・観光

宿泊施設バリアフリー

宿泊施設バリアフリー化支援補助金

東京都内の旅館、ホテル、簡易宿所のバリアフリー化に取り組む宿泊事業者の、施設整備、客室整備、備品購入、コンサルティングにかかる経費を補助してくれます。

補助金額の上限	★★★★	7,554万円 （①34万円＋②3,000万円＋③4,200万円＋④320万円）
補助率の上限	★★★★	①2／3　②③④4／5
補助事業期間 （最長）	★★★★★	交付決定から1年に着手。完了期限はなく、年度をまたぐ事業も可。
中小企業向き	★★★	東京都の企業に限らず申請できます。企業規模に関係なく申請できます。
採択数	———	不明（2019年）
採択率	———	不明（2019年）

申請タイプ
【補助金】①コンサルティング 【補助金】②バリアフリー化整備事業（施設整備） 【補助金】③バリアフリー化整備事業（客室整備） 【補助金】④バリアフリー化整備事業（備品購入） ※一度に複数の事業の申請可。

連携	単独申請が原則です。
法認定等	法認定は不要です。
審査方式	申請後、書類審査に加え、現地（施設内）にて事前調査（現状等の確認）が行われます。
対象となる経費	コンサルティング費（報告書作成費、旅費等）、施設整備費および客室整備費（施設改修工事費、電気工事費、設備工事費、附帯設備及び工事費、施工管理委託経費、運搬費・機器購入費、立ち合い検査費等）、備品購入費

公募期間	4月11日～翌年3月31日 ※予算額に達した時点で終了（2019年）
問い合わせ先	東京都　産業労働局　観光部　受入環境課 TEL：03-5320-4881

最新の公募要領

成長戦略データベース

補助対象事業は①～④の４つに分かれており、それぞれ上限額、補助率が異なっていますが、一度に複数の事業を申請することができます。

　②③④については、誰もが宿泊施設に「入ることができ」、「利用することができる」ようにするために、障壁（バリア）を除去する観点で行うものが対象です。

　改修箇所へのアクセス部分にバリアが残っている状態で、バリアフリー化を進めても効果が期待できないという考え方から、審査はA（アクセス部分）とB（メインの改修箇所）に分類して行われ、Aのバリアフリー化を整備することが優先項目とされ、それらが整備された上でBの整備・備品購入が認められる形になっています。

A：移動等円滑化経路、宿泊者特定経路、直接地上へ通ずる出入口

B：便所、エレベーター、廊下、客室等

　なお、③バリアフリー化整備事業（客室整備）において、以下の条件を満たす改修等を行う場合は、上限額が4,800万円に、補助率が10分の９にアップされます。

・建築物バリアフリー条例に定める一般客室の整備等で、浴室等の出入口幅を75cm以上とする場合

・「車いす使用者用客室」の整備等で、客室出入口の有効幅を90cm以上とする場合

採択事例

・講堂に多目的トイレ（だれでもトイレ）を設置／周囲の建物からの傾斜路に手すり・車止め等を設置／食堂の出入口階段に車いすリフト常備
　　　　　　　　　　　　　　　　　　　八王子セミナーハウス（八王子市）

・敷地内通路（砂利部分の一部）の舗装化／玄関スロープ（既存）に手摺を設置／車椅子送迎用リフト車乗降用アーケードの設置／トイレのバリアフリー化改修　など　　　　　　　　　　　バリアフリーペンション「すばる」（大島町）

・エレベーターに車椅子使用者用操作盤や手摺等を設置／玄関内側扉の自動ドア化／レストラン入口の段差解消／レストラン内に洋式トイレ（手摺付）の整備　など　　　　　　　　　　　　　　　　ホテルかずさや（中央区）

251

第13章

その他
の補助金

J–LOD
コンテンツグローバル需要創出等促進事業費補助金

コンテンツの海外展開の際のローカライズやプロモーション、また、コンテンツ産業の持続的発展を目的とした取り組みを支援してくれる補助金です。

補助金額の上限	★★★★	①2,000万円／件(4,000万円／社)　②3,000万円／社 ③5,000万円／社
補助率の上限	★★★	①コンテンツ企業が主体となって海外展開を促進する事業：1／2（特例2／3）　コンテンツを有効活用して海外展開を促進する事業：1／3　②③1／2
補助事業期間（最長）	★★	1年度
中小企業向き	★★★	企業規模に関係なく申請できます。
採択数	★★★★★	588件（2019年）
採択率	───	不明（2019年）

申請タイプ
【補助金】①コンテンツ等の海外展開を行う際のローカライズおよびプロモーションを行う事業
【補助金】②海外展開を目指すコンテンツの企画・開発として試作映像等を制作する事業 ③デジタル技術を活用した先進性の高いコンテンツ等の開発等を行う事業
【補助金】③−1：世界に向けて発信するデジタル技術を活用した先進性の高いコンテンツの制作に関する補助金
【補助金】③−2−1：ブロックチェーン技術を活用したコンテンツの流通に関するシステムの開発・実証支援
【補助金】③−2−2：コンテンツ製作の生産性向上に資するシステムの開発・実証支援

連携	共同申請も可能です。
法認定等	法認定は不要です。
審査方式	書類審査のみ。
対象となる経費	①海外渡航に関する費用、出展・参加に関する費用、他 ②制作に関する費用（映像制作費、システム開発費、他）、海外出展等に関する費用 ③−1：制作に関する費用（映像制作費、機材費、他）、海外渡航に関する費用 ③−2：制作に関する費用（システム開発費、実証経費、他）

公募期間	①2月18日〜翌年1月31日　②3月15日〜10月31日 ③−1　4月10日〜5月13日 ③−2−1　4月18日〜5月31日 ③−2−2　4月23日〜5月31日（2019年）	最新の公募要領
問い合わせ先	経済産業省　商務情報政策局　コンテンツ産業課 TEL：03-3501-9537（直通）	成長戦略データベース

コンテンツ産業とは一般には、映像（映画、アニメ）、音楽、ゲーム、書籍等の情報の内容（コンテンツ）の制作・流通を担う産業を指しますが、この補助金において支援の対象となるコンテンツは、申請タイプ別にそれぞれ定義されています。

大変人気のある補助金で、年間600件近くが採択されています。そのほとんどを占めている①②では、上限額に関わらず、少額の事業が多く採択されているようです。

一方、③の採択は少なく（2019年は22件）、多くの企業に活用されているとは言えない状況です。知名度が低いことと、先進性が求められ、ハードルが高いことが原因でしょう。

③は、コンテンツ産業が持続的に発展するエコシステムの構築のための事業を対象としており、実は意外と幅広く使えます。コンテンツ産業企業が先進性の高い取り組みに挑戦する場合、活用できないか検討してみる価値はあるでしょう。（採択事例には、③の採択事例を選びました。）

採択事例

③－1
　　株式会社サニーサイドアップ
　　株式会社フロウプラトウ
　　株式会社ライゾマティクス
　　株式会社ワントゥーテン
③－2－1
　　オープンポスト合同会社
　　カレンシーポート株式会社
　　スタートバーン株式会社
　　株式会社TART
　　株式会社リヴァンプ
③－2－2
　　株式会社セガゲームス
　　株式会社フィルムソリューションズ
　　メモリーテック株式会社

その他

Buy TOKYO

Buy TOKYO推進活動支援事業補助金

東京都産品のブランド力を強化し、市場への浸透や海外展開を促進させるために実施する、東京の特色ある優れた商品の販売やPR活動を支援してくれる補助金です。

補助金額の上限	★★★	1,600万円（初年度1,000万円、2年度目600万円）
補助率の上限	★★★★	初年度2／3　2年度目1／2
補助事業期間 （最長）	★★★★	2年度
中小企業向き	★★★★★	東京都内に本店・支店のある中小企業を対象とした補助金です。東京都内での創業を具体的に計画している者も申請できます。
採択数	———	不明（2019年）
採択率	———	不明（2019年）

申請タイプ
【補助金】

連携	単独申請が原則です。
法認定等	法認定は不要です。
審査方式	書類審査のみ。
対象となる経費	運営費（謝金、賃借料、工事費、雑役務費）、事業費（会場借上げ費、備品費、輸送費、旅費、賃借料、展示会等事業費、委託費、広報活動費）

公募期間	5月14日〜6月7日（2019年）
問い合わせ先	東京都　産業労働局　商工部　経営支援課 「Buy TOKYO推進プロジェクト」担当 TEL：03-5320-4726

最新の公募要領

成長戦略データベース

東京都産品に関する販売やPR活動で、国内外で行う新たな取組が対象です。「東京都産品」とは以下のように定義されています。

ア　農林水産品で都内産と特定できるもの

イ　都内産の農林水産物を原材料として使用した食品、消費者向け工業品

ウ　東京の歴史・文化や独自の製造技術・技法、デザイン等にこだわって製造されていると認められる食品、消費者向け工業品。ただし、一般機械、電子機器及び電気機械は除く

　補助金の他、コーディネータによるハンズオン支援も受けられ、事業進捗に応じて専門家が派遣され、ブランディング、販売促進などのアドバイスを受けることができます。

　採択結果は非公開ですが、Buy TOKYOのホームページがあり、様々な事例が公開されていますので参考にしてください。

採択事例　※Buy TOKYOホームページ掲載商品より

・LUCIANCHU　　　　　　　　　　　　　　　　株式会社江戸ヴァンス

・医学の知見から生まれた技術とデザイン　　　　株式会社Greenery

・SHAMIKO/2 サイズ　　　　　　　　　　　　株式会社セベル・ピコ

・アラーニェの虫籠　　　　　　　　　　　　合同会社ゼリコ・フィルム

・升次郎　　　　　　　　　　　　ソルバーネットワーク 株式会社

・浅沼煎餅　　　　　　　　　　　　　　　　有限会社大黒屋

・広々としたバスケット　　　　　　　　　　株式会社東京乳母車

・上角楊枝　　　　　　　　　　　　　　株式会社日本橋さるや

・プリザーブドフラワーテーブル "Chess"　　株式会社バーディー・プラン

・理美容師用ハサミ "ヒカリシザー"　　　　　　株式会社ヒカリ

・Midnight Crazy Trail　　　　　　　　　　　株式会社ピコナ

・江戸切子板　　　　　　　　　　　　　　　株式会社廣田硝子

・PORTVEL　　　　　　　　　　　株式会社ホールワークス

・髙尾の天狗純米吟醸酒　　　　　　　　　　　株式会社舞姫

・ことわざむらい　　　　　　　　　　　　株式会社松崎人形

・純銀 玉盃「うめいちりん」　　　　　　株式会社森銀器製作所

・本場大森乾海苔 頂（いただき）　　　　　株式会社守半總本舗

・マタニティシューズ「yui」　　　　　　　　合同会社yui

グローバルニッチトップ

グローバルニッチトップ助成事業

世界規模で事業展開が期待できる技術や製品を有する中小企業に対して、知的財産権の取得等に要する経費を補助してくれます。知的戦略アドバイザー等によるサポートも受けられます。

補助金額の上限	★★	1,000万円
補助率の上限	★★★	1／2
補助事業期間（最長）	★★★★★	3年
中小企業向き	★★★★★	東京都内の中小企業を主な対象とした補助金です。
採択数	★	5件（2018年）
採択率	★★★★★	100.0%（2018年）

申請タイプ
【補助金】

連携	単独申請が原則です。
法認定等	指定された事業における表彰・助成・支援などの実績が必要です。
審査方式	一次審査（書類審査）の際に訪問ヒアリングが行われる場合があります。一次審査を通過した申請者に対して、二次審査（面接審査）が行われます。
対象となる経費	外国での該当製品・技術等に関する権利取得・維持に関する費用（周辺・改良技術等に関するものを含む）、知財トラブル対策費用（訴訟に要する費用は対象外）、先行調査費用（特許・商標・意匠・実用新案等）

公募期間	7月1日〜8月15日（2019年）
問い合わせ先	公益財団法人東京都中小企業振興公社　東京都知的財産総合センター　TEL：03-3832-3656 E-mail：chizai@tokyo-kosha.or.jp

最新の公募要領

成長戦略データベース

この補助金に申請するには、まず、「東京都または公益財団法人東京都中小企業振興公社が実施する既存事業で、技術や製品が優れたものであると認められ、表彰・助成・支援を受けていること」が必要となっており、東京都の中小企業向けの支援制度等が30ほどリストアップされています。

　その中では、一般的には「経営革新計画の承認」が最も容易ですが、この補助金に挑戦しようとしている企業なら、「外国特許出願費用助成事業」、「外国実用新案出願費用助成事業」、「外国意匠出願費用助成事業」のいずれかの補助金を取る方が簡単かもしれません。いずれも少額な補助金ですが、形式要件を満たせば、開発系の補助金よりは採択される確率も高いからです。

　また、「知財戦略導入支援事業（ニッチトップ育成支援事業）の修了認定」もお勧めです。この補助金の事務局でもある、東京都知的財産総合センターがアドバイス等をしてくれる中小企業向けの支援制度です。

　リストには、その他にも東京都の中小企業向けの補助金が多く指定されていますが、補助金を受けたことを申請資格とする場合、気を付けなくてはならないのは、「採択された」ことではなく、「助成額の確定通知書を受けている」ことが要件だということです。

　また、すべての申請資格の要件には、「その年の３月31日から過去５年間」に、要件を満たしていなければなりませんので注意が必要です。

　上記の申請資格を満たす他、さらに、

・上記の表彰・助成・支援を受けている技術や製品に係る特許権、実用新案権、意匠権が、国内外のいずれかで、既に権利化されていること

・世界規模（概ね３か国、地域以上）での事業展開の計画を有しており、その計画に基づき、海外での知財の権利取得・維持等を推進しようとしていること

　という２点の申請要件があります。「グローバルニッチトップとなり得る可能性がある企業が対象」ということでしょう。

　支援期間は年度ごとに３期に分かれ、毎年補助金を受け取ることができます（上限額は３年間で1,000万円です）。

その他

付録

補助金ランキング・索引

補助金100 採択数ランキング TOP10

第1位	9,531件	**01** 全国 **ものづくり補助金** ものづくり・商業・サービス生産性向上促進事業 34ページ
第2位	7,386件	**03** 全国 **IT導入補助金** サービス等生産性向上IT導入支援事業 40ページ
第3位	2,544件	**74** 全国 **エネ合（設備単位）** エネルギー使用合理化等事業者支援事業（設備単位での省エネルギー設備導入事業） 200ページ
第4位	793件	**09** 全国 **事業承継補助金** 事業承継補助金 54ページ
第5位	588件	**98** 全国 **J－LOD** コンテンツグローバル需要創出等促進事業費補助金 254ページ
第6位	339件	**73** 全国 **エネ合（工場・事業場単位）** エネルギー使用合理化等事業者支援事業（工場・事業場単位での省エネルギー設備導入事業） 198ページ
第7位	313件 ※事業所数	**78** 全国 **脱フロン補助金** 脱フロン・低炭素社会の早期実現のための省エネ型自然冷媒機器導入加速化事業 208ページ
第8位	173件	**29** 全国 **SDGsビジネス** 中小企業・SDGsビジネス支援事業 96ページ
第9位	172件	**07** 東京 **革新的事業展開** 革新的事業展開設備投資支援事業 48ページ
第10位	163件	**89** 全国 **自立・分散型エネルギー設備** 地域の防災・減災と低炭素化を同時実現する自立・分散型エネルギー設備等導入推進事業 232ページ

※2019年の採択数で集計。第9位のみ2018年第3、4回の合計

補助金100　採択率ランキング　TOP10

第1位	95.7%	86 東京	**LED照明**
			LED照明等節電促進助成金　224ページ
第2位	91.1%	73 全国	**エネ合（工場・事業場単位）**
			エネルギー使用合理化等事業者支援事業（工場・事業場単位での省エネルギー設備導入事業）　198ページ
第3位	90.0%	74 全国	**エネ合（設備単位）**
			エネルギー使用合理化等事業者支援事業（設備単位での省エネルギー設備導入事業）　200ページ
第4位	89.3%	90 東京	**BCP実践**
			BCP実践促進助成金　234ページ
第5位	85.7%	04 全国	**活路開拓（情報NW）**
			中小企業組合等課題対応支援事業（組合等情報ネットワークシステム等開発事業）　42ページ
第6位	84.6%	91 東京	**サイバーセキュリティ**
			サイバーセキュリティ対策促進助成金　236ページ
第7位	80.0%	10 全国	**活路開拓（一般活路・展示会）**
			中小企業組合等課題対応支援事業（中小企業組合等活路開拓事業）　56ページ
第8位	76.7%	81 全国	**廃熱・湧水活用**
			廃熱・湧水等の未利用資源の効率的活用による低炭素社会システム整備推進事業　214ページ
第9位	69.0%	02 全国	**連携ものづくり補助金**
			ものづくり・商業・サービス高度連携促進補助金　38ページ
第10位	58.3%	70 東京	**先進的防災**
			先進的防災技術実用化支援事業　190ページ

※第1、4、6、10位は2018年、それ以外は2019年の採択率で集計。採択数が10件以上のものを対象とした。複数回の公募・締切のあったものは、初回の採択率を使用。

補助金100　上限額ランキング　TOP10

第1位	50億円	**16** 全国	**NexTEP（一般タイプ）** 産学共同実用化開発事業（NexTEP）（一般タイプ） 68ページ
	50億円	**17** 全国	**NexTEP（未来創造ベンチャータイプ）** 産学共同実用化開発事業（NexTEP）（未来創造ベンチャータイプ） 70ページ
第3位	33.3億円 ※概算額	**35** 全国	**戦略的省エネルギー** 戦略的省エネルギー技術革新プログラム　110ページ
第4位	20億円	**68** 全国	**安全保障技術研究** 安全保障技術研究推進制度　186ページ
第5位	15.68億円	**64** 全国	**ドローン基盤技術** 安全安心なドローン基盤技術開発　178ページ
第6位	15億円	**73** 全国	**エネ合（工場・事業場単位）** エネルギー使用合理化等事業者支援事業（工場・事業場単位での省エネルギー設備導入事業）　198ページ
	15億円	**87** 全国	**グループ補助金** 中小企業等グループ施設等復旧整備補助事業 228ページ
	15億円	**18** 全国	**NexTEP-A** 研究成果最適展開支援プログラム（A-STEP）企業主導フェーズ（NexTEP-A）　72ページ
第9位	7億円	**13** 全国	**福島県地域復興実用化** 地域復興実用化開発等促進事業　62ページ
第10位	6億円	**50** 東京	**AMDAP** 先端医療機器アクセラレーションプロジェクト 142ページ

※主に2019年の上限額で集計。上限額の設定のあるものが対象。

補助金名索引・用語索引

【著者紹介】

小泉　昇（こいずみ　のぼる）

成長戦略株式会社　代表取締役

【略歴】

　東京大学工学部産業機械工学科卒業。大手メーカーにて研究開発の後、大手ベンチャーキャピタルに十数年在籍し、多数のベンチャー企業立上に参画。

　東京大学系ベンチャーキャピタル設立の主導や、ベンチャー企業（現：東証１部上場）CFO等を経験後、2011年、補助金とベンチャーキャピタル資金との類似性に着目し、補助金活用支援に特化した成長戦略株式会社を設立。

　著書に『社長！会社の資金調達に補助金・助成金を活用しませんか⁉』（自由国民社）がある。

　成長戦略株式会社は、補助金の活用により中小企業の成長を支援する会社です。多種多様な補助金を扱い、その全平均で毎年８割超の採択率を誇っています。

　ベンチャー企業立ち上げの豊富な経験を活かし、ワークする事業計画を作成し、それを補助金の申請書に落とし込みます。これができるコンサルティング会社は多くはありません。

　お客様の技術とビジネスの両方を理解し、お客様の強みを見出します。そして、その強みを使って会社を発展させる成長戦略を描き、その実行をご支援します。

　真に会社の発展をお考えの経営者の皆様からのご相談をお待ちしています。

【連絡先】

●成長戦略株式会社

〒101-0045

東京都千代田区神田鍛冶町3-3-9　喜助新千代田ビル８階

TEL　03-3525-8153　　FAX　03-3525-8154

URL　https://www.ss-kk.co.jp/　E-mail　info@ss-kk.co.jp

ちゅうしょう き ぎょう　　ほんとう　つか　　　ほ じょきん

中小企業が本当に使える補助金ベスト100

2020年6月19日　初版　第1刷発行

著　者	こ いずみ のぼる 小泉　昇
発行者	伊藤　滋
印刷所	横山印刷株式会社
製本所	新風製本株式会社
本文DTP	有限会社中央制作社

発行所	株式会社 自由国民社
	〒171-0033　東京都豊島区高田3-10-11
	URL https://www.jiyu.co.jp/
	営業部 TEL 03-6233-0781　　FAX 03-6233-0780
	編集部 TEL 03-6233-0786